Assini

La Fug
di Bach

Redazione: Jana Foscato
Progetto grafico e direzione artistica: Nadia Maestri
Grafica al computer: Maura Santini
Illustrazioni: Laura Scarpa
Ricerca iconografica : Laura Lagomarsino

Le soluzioni degli esercizi sono disponibili nel sito www.cideb.it, area studenti /download

ISBN 978-88-530-0180-1 Libro + CD

Stampato in Italia
da Litoprint, Genova

Indice

Testo integralmente registrato

Questi simboli indicano l'inizio e la fine delle attività di ascolto.

Esercizi in stile CELI 3 (Certificato di conoscenza della lingua italiana), livello B2.

CAPITOLO 1

È nata una stella

Milano è triste d'autunno. La nebbia di ottobre sfuma i contorni degli edifici, resta sospesa sull'acqua dei Navigli, dipinge di grigio tutte le cose; i passanti camminano in fretta, calpestando,[1] lungo i viali, le prime foglie morte. L'estate sembra così lontana!

Eleonora leva lo sguardo: il cielo notturno senza stelle sembra pesare sulla città. Con un brivido,[2] la ragazza si stringe nella stola[3] che non basta a coprire le spalle lasciate nude dall'abito da sera. Non è certo una notte per sognare: ma il cuore di Eleonora

1. **calpestando** : camminando sopra.
2. **brivido** : tremito per il freddo.
3. **stola** : larga striscia di stoffa o pelliccia da portare sulle spalle.

è pieno di gioia perché il sogno tanto a lungo inseguito è diventato realtà. I suoi capelli neri ondeggiano come un velo intorno al viso raggiante, [1] i suoi occhi brillano di felicità. Eleonora vorrebbe gridare la sua gioia al mondo intero... Al mondo intero e a Boris, di nuovo suo compagno nella vita e sulla scena. Il ricordo del trionfo è recente: non è passata neppure un'ora da quando un'emozione intensa, incontenibile, [2] l'ha portata al settimo cielo. [3] La scalata è stata dura, la fatica talvolta intollerabile, ma il risultato ha compensato tutti gli sforzi, tutte le difficoltà affrontate. Sì, finalmente ce l'ha fatta! Il suo sogno si è realizzato.

Eleonora ripensa con piacere alla serata del suo trionfo. Rivede la sala inondata dalla luce sfavillante [4] degli enormi lampadari di cristallo, il rosso dei velluti, l'oro degli stucchi: la Scala, uno dei teatri più famosi del mondo, il miraggio di una vita intera per tanti artisti, una meta raggiunta da pochissimi... e da

lei! Sente ancora la voce del direttore che annuncia dal palcoscenico:

— Ci dispiace molto comunicarvi che la nostra prima ballerina, la famosa Irene Pavlovich, stasera non potrà esibirsi e sarà sostituita dalla signorina Eleonora De Lorenzi.

Il silenzio della platea si rompe in mormorii [5] di delusione, poi in segni di protesta. Dietro le quinte nascoste da un pesante

1. **raggiante** : luminoso.
2. **incontenibile** : che non si può contenere; incontrollabile.
3. **l'ha portata al settimo cielo** : (modo di dire) l'ha resa felicissima.
4. **sfavillante** : brillante, scintillante.
5. **mormorii** : parole pronunciate a bassa voce.

sipario, il cuore di Eleonora batte forte: le scarpette che mette nervosamente ai piedi sembrano pesare una tonnellata. Ha una gran confusione in testa: deve concentrarsi sul suo corpo, sui suoi movimenti. “Non ce la farò mai, sto per svenire” pensa. Indifferente ai rumori, alle esclamazioni e alle risate degli altri ballerini, spia con inquietudine [1] da dietro il sipario. Paura o no, è il suo momento, non può lasciarselo scappare: l’improvvisa assenza di Irene è un’occasione unica! Qualche minuto prima un ammiratore (l’unico!) le ha manifestato la sua simpatia con un mazzo di rose rosse e una cassetta, una fuga di Bach. Tutte le altre ballerine, da quando hanno saputo della sua fortuna, le lanciano sguardi gelosi e malevoli augurandole, senza dubbio, di slogarsi una caviglia o di sentirsi male all’ultimo momento. Speranze vane: [2] Eleonora è radiosa, [3] non è mai stata così bella! Quando finalmente appare sulla scena il pubblico rimane colpito dalla sua grazia e dalla sua freschezza. Ora balla al fianco di Boris come in un sogno e il suo corpo snello sembra volare. Il pubblico, a poco a poco, si lascia prendere dall’entusiasmo e lo manifesta, alla fine, con un lungo, caloroso e scrosciante [4] applauso. Eleonora non pensa più ai pettegolezzi [5] e alle meschinità delle sue rivali. Vuole solo assaporare [6] pienamente l’immensa felicità che l’invade. Ma ecco che, improvvisamente, nel buio della notte, le giungono all’orecchio le note di una musica: una fuga di Bach,

FINE

1. **con inquietudine** : con ansia, con un po’ di paura.
2. **vane** : inutili.
3. **radiosa** : raggiante, luminosa.
4. **scrosciante** : rumoroso.
5. **pettegolezzi** : maldicenze.
6. **assaporare** : gustare.

quella che il suo ammiratore le ha appena inviato in dono! Incuriosita dalla coincidenza (proprio quella musica... e a quell'ora!), Eleonora si dirige verso la chiesetta da cui sembrano provenire le note, ma, all'improvviso, sente due forti mani che la trattengono:

— Signorina De Lorenzi, la prego di non opporre resistenza: sono il commissario Bonardi della Squadra Mobile.[13] Mi segua, per favore.

— Ma che succede? Che cosa desidera da me?

— Signorina De Lorenzi, lei è sospettata dell'assassinio di Irene Pavlovich.

13. **Squadra Mobile** : reparto speciale della polizia giudiziaria.

Comprensione

CELI 3

1 **Rileggi il capitolo e segna con una ✗ la lettera corrispondente all'affermazione corretta.**

1. Come si sente Eleonora?
   - a. ☐ piena di gioia
   - b. ☐ triste
   - c. ☐ confusa
   - d. ☐ spaventata

2. Chi è Boris?
   - a. ☐ il fratello di Eleonora
   - b. ☐ il compagno di Eleonora
   - c. ☐ un ammiratore di Eleonora
   - d. ☐ il coreografo

3. Come è stata la carriera di Eleonora?
   - a. ☐ difficile
   - b. ☐ faticosa
   - c. ☐ modesta
   - d. ☐ breve

4. Cosa prova Eleonora prima di entrare in scena?
   - a. ☐ paura e confusione
   - b. ☐ grande sicurezza
   - c. ☐ impazienza
   - d. ☐ voglia di scappare

5. Cosa le ha mandato un ammiratore?
   - a. ☐ una cassetta e un libro
   - b. ☐ un CD e un mazzo di rose
   - c. ☐ una cassetta e un mazzo di rose
   - d. ☐ un CD e un libro

6. Come appare Eleonora sulla scena?
   - a. ☐ pesante e confusa
   - b. ☐ insicura e brutta
   - c. ☐ agile, fresca e graziosa
   - d. ☐ bella ed emozionata

7. Perché il commissario Bonardi ferma Eleonora?

a. ☐ perché vuole congratularsi con lei
b. ☐ perché è sospettata dell'assassinio di Irene
c. ☐ perché vuole un autografo della prima ballerina
d. ☐ perché vuole comunicarle una brutta notizia

2 Ascolta attentamente. Noterai che alcune parole sono state sostituite con il loro contrario. Completa la tabella.

Sente ancora la voce del direttore che annuncia dal palcoscenico:
— Ci dispiace molto comunicarvi che la nostra **ultima** ballerina, la sconosciuta Irene Pavlovich, stasera non potrà esibirsi e sarà sostituita dalla signorina Eleonora De Lorenzi.
Il rumore della platea si rompe in mormorii di soddisfazione, poi in segni di protesta. Dietro le quinte nascoste da un leggero sipario, il cuore di Eleonora batte piano: le scarpette che mette tranquillamente ai piedi sembrano pesare una tonnellata. Ha una gran chiarezza in testa: deve concentrarsi sul suo corpo, sui suoi movimenti.

Testo scritto	Testo registrato
1. ultima	prima
2.	....
3.	....
4.	....
5.	....
6.	....
7.	....
8.	....

3 **Vuoi partecipare ad uno stage di teatro?**
Dopo aver letto l'articolo rispondi alle domande.

(da un minimo di 15 ad un massimo di 25 parole)

Stage di teatro

Vuoi lavorare in TV? Calcare [1] un palcoscenico da protagonista? E hai almeno 16 anni? *Moonlight*, associazione teatrale milanese riconosciuta, organizza stage estivi professionali di teatro e recitazione, che si tengono nella verde residenza estiva La Corte (strada S. Antonio, 54) di Bussolino di Gassino, in provincia di Torino. Le date: dal 26 giugno al 2 luglio, dal 3 al 9 luglio, dal 24 al 30 luglio. Gli allievi, massimo 15 per stage, saranno impegnati in lezioni teoriche e pratiche sotto la guida dell'attore e regista Gaetano Tramontana, coadiuvato [2] da altri artisti. Costo: 450 euro che comprendono il pernottamento, la prima colazione e la mezza pensione, tutte le lezioni e le dispense [3] didattiche.
Ecco l'indirizzo cui rivolgersi: Moonlight, via Pisanello 16, 20146 Milano, tel. 02/4870986, fax 02/4076353.

1. **calcare** : salire su.
2. **coadiuvato** : aiutato.
3. **dispense** : appunti, materiale scritto che riguarda le lezioni.

1. A chi si rivolge questo articolo? ....

   ....

2. Cos'è *Moonlight*? ....

   ....

3. Chi sono gli insegnanti? ....

....

4. Cosa comprende la cifra di iscrizione? ....

....

Grammatica

Le particelle pronominali

Il direttore annuncia:

Stasera Irene non può esibir**si**.

Il pubblico commenta:

E perché non **si** può esibire?

Chissà, forse è malata...

Stasera il sogno di Eleonora ***può realizzarsi.***
Stasera il sogno di Eleonora ***si può realizzare.***

Attenzione! Se il verbo è all'infinito è possibile dire:
potrà esibir**si** / **si** potrà esibire
può realizzar**si** / **si** può realizzare

Si è una particella pronominale. Ricordi le altre? Ecco un promemoria:

(io)	**mi**	realizzo	(noi)	**ci**	realizziamo
(tu)	**ti**	realizzi	(voi)	**vi**	realizzate
(egli)	**si**	realizza	(loro)	**si**	realizzano

Osserva inoltre le frasi seguenti:

Il suo sogno si ***è*** *realizzato.*
Mi ***sono*** *concentrata molto.*
Vi ***siete*** *sentiti male?*

Che ausiliare devi usare: **essere** o **avere**?

1 **I seguenti verbi si trovano nel primo capitolo. Cerca le frasi corrispondenti.**

1. stringersi ... La ragazza si stringe nella stola.
2. realizzarsi ...
3. dispiacersi ...
4. rompersi ...
5. concentrarsi ...
6. slogarsi ...
7. dirigersi ...

2 **Completa le frasi con il verbo tra parentesi e il verbo servile *potere*. Utilizza entrambe le forme possibili.**

Es.: (Io — lavare) ... i capelli?
Mi posso lavare i capelli?
Posso lavarmi i capelli?

1. Qui c'è troppa confusione, è impossibile lavorare, non (noi concentrare) ...
   ... .
2. Eleonora pensa: "Se non faccio attenzione quando ballo, (slogare) ... una caviglia."
   ...
3. Il vaso di cristallo è molto fragile, non toccarlo! (esso — rompere) ...
   ... .
4. Tutti i desideri di Aladino (realizzare) ... con l'aiuto della lampada magica.

Competenze linguistiche

1 **Molte parole del capitolo si riferiscono al mondo dello spettacolo. Ritrovale.**

1. scena	6. ....
2.	7. ....
3.	8. ....
4.	9. ....
5.	10. ....

2 **Completa il testo con le parole seguenti.**

balletto ballerine note pubblico sipario palcoscenico orchestra applaude

1. Il .... si alza, si sentono le .... di Stravinsky.
2. Il .... rimane in silenzio.
3. Le .... entrano in scena e si muovono con grazia e leggerezza sul ....
4. Quando l' .... tace, alla fine del .... il pubblico .... con entusiasmo.

I navigli, ovvero la volontà *di cambiare la natura*

Nel XII secolo Milano era già una città florida, vivace e intraprendente. Solo la sfortunata posizione geografica rallentava il suo sviluppo: la vastità della pianura padana – infatti – rendeva lenta la comunicazione, difficile il commercio e scarsa l'irrigazione dei terreni circostanti.

Tuttavia, neanche la natura poteva fermare il desiderio di affermazione dell'orgoglioso popolo milanese: cominciò un grandioso e innovativo progetto per creare una rete di canali d'irrigazione e navigabili (da qui il nome "naviglio").

Il primo tratto del Naviglio Grande, che collegava Milano al Lago Maggiore tramite il fiume Ticino, fu inaugurato già nel 1179 e nel XIV secolo venne utilizzato per trasportare i marmi

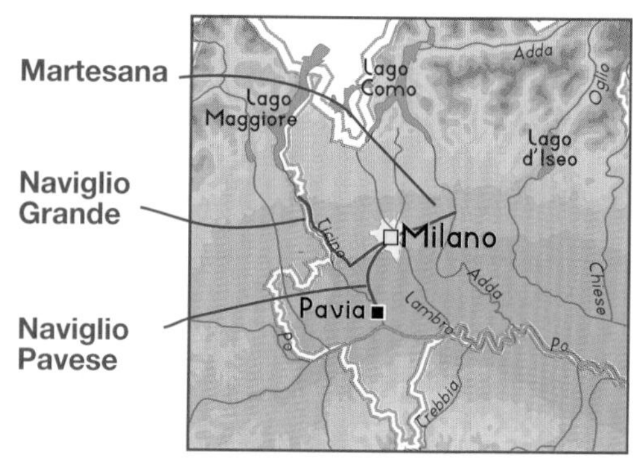

I tre navigli collegavano Milano al Lago Maggiore e al Lago di Como e fornivamo lo sbocco nel Mare Adriatico.

necessari alla costruzione del duomo. Nello stesso periodo fu costruita la Darsena, un bacino idrico soprannominato il "porto di Milano".

L'aumento dei traffici attirò gli artigiani, la fertilità delle terre i contadini e la ricchezza i nobili: lungo le sponde del Naviglio Grande si moltiplicarono le botteghe, i mercati e i palazzi signorili.

Persino Leonardo da Vinci rimase colpito dall'immensa opera idraulica e contribuì in prima persona all'ideazione e alla realizzazione di alcuni fondamentali miglioramenti.

Napoleone concluse la costruzione del Naviglio pavese, che sfruttando il fiume Po, regalava ai milanesi il tanto sognato sbocco al mare.
Il commercio fluviale diminuì con l'avvento dei mezzi di trasporto su ruota e nei primi anni del XX secolo i navigli furono interrati.
Ancora oggi, il quartiere dei navigli è estremamente caratteristico e vivace: il mercato del sabato nella zona della Darsena, quello dell'antiquariato lungo il primo tratto del Naviglio Grande e il numero veramente considerevole di locali lungo tutti i navigli (bar, pub, ristoranti, pizzerie,...) ne testimoniano la vitalità, l'allegria e lo spirito commerciale.

CAPITOLO 2

Dal paradiso all'inferno

Qualcuno ha trovato il corpo di Irene in tarda serata e ha telefonato alla polizia senza dire il proprio nome. Eleonora è angosciata, [1] spaventata; il suo sogno è svanito [2] in un attimo, come una bolla di sapone. Al commissariato fa freddo. La interrogano ormai da ore, e si sente così stanca! Ha conosciuto il paradiso e ora... eccola all'inferno! E tutto questo per colpa di Irene, una ladra che ha cercato di portarle via tutto: gli applausi del pubblico, il suo amore... sì, anche l'amore!

1. **angosciata** : impaurita.
2. **svanito** : finito nel nulla, scomparso.

La Fuga di Bach

All'inizio Irene sembrava non avere nessun interesse per Boris, ma quando ha scoperto che lui ed Eleonora stavano insieme, ha cominciato a fare di tutto per sedurlo [1] e per distruggere la loro unione.

"Alla fine ci è riuscita, quella strega" [2] pensa Eleonora. "E non mi ha rubato soltanto Boris, ma anche il posto di prima ballerina! In fondo meritava di morire..."

Quando Irene è riuscita, con l'astuzia, [3] ad ottenere il ruolo

1. **sedurlo** : farlo innamorare.
2. **strega** : fata cattiva, (fig.) donna malvagia.
3. **astuzia** : furbizia, intelligenza.

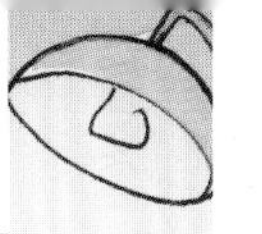

principale nel balletto, Eleonora, che sapeva di essere la migliore, è quasi impazzita di rabbia e non ha nascosto a nessuno la sua delusione e il suo desiderio di rivincita. Tutta Milano infatti era al corrente della loro rivalità, delle loro continue discussioni e della reciproca gelosia a causa di Boris.

Eleonora adesso sta aspettando il suo avvocato e rifiuta di parlare malgrado le insistenze del commissario, che la tratta senza nessun riguardo.[1] Si è chiusa in un silenzio totale: non le

1. **riguardo** : rispetto, cortesia.

esce una parola di bocca.

— In questo modo peggiora la sua situazione!, le grida Bonardi in collera.

Il tempo non passa mai, un vento gelido si insinua [1] dappertutto. Eleonora trema dal freddo: la sua bella avventura è lontana, lontanissima, l'eco degli applausi si è spento del tutto nella sua mente, dove risuonano soltanto le note della fuga di Bach, che sembrano arrivarle ancora all'orecchio da quella piccola chiesa. Se ne sta lì, seduta nel vecchio ufficio un po' polveroso, con lo sguardo assente, fisso nel vuoto: in sottofondo, il rumore snervante [2] di un rubinetto che gocciola. Bonardi non ce la fa più: sta morendo di sonno, ma il senso del dovere è più forte della stanchezza.

L'orologio a muro scandisce [3] i secondi: tic-tac, tic-tac, tic-tac...

"E ci mancava solo quella maledetta goccia con il suo plic-plic-plic-plic...!" pensa Bonardi con crescente nervosismo "e questa Eleonora, una colpevole da manuale, [4] che non cerca nemmeno di difendersi! Veramente insopportabile. Una faccia di bronzo, mi manda veramente in bestia! L'unica cosa che le esce di bocca è che vuole vedere il suo avvocato."

A rendere ancora più nervoso il commissario sono i crampi [5] per la fame. Di notte infatti, se non dorme deve sempre mettere qualcosa sotto i denti.

1. **si insinua** : entra da ogni piccola apertura.
2. **snervante** : che innervosisce, rende nervoso.
3. **scandisce** : batte.
4. **da manuale** : perfetta.
5. **crampi** : dolori, qui allo stomaco.

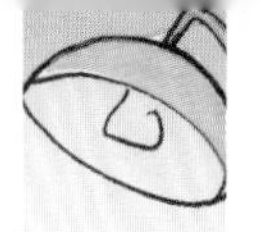

Improvvisamente lo squillo [1] del telefono interrompe i suoi pensieri.

— Driiin, driiin...

— Pronto? Sì sono Bonardi. Come? Questa sì che è una bella notizia! Grazie Tomasi. Sì, sì, va' pure a dormire, adesso vado anch'io. E mi raccomando, portami il rapporto firmato domani mattina in ufficio. Ciao, a domani.

Allora signorina, hanno trovato dei capelli identici ai suoi sotto le unghie della vittima. Come lo spiega? Le conviene confessare, avvocato o non avvocato, dice Bonardi bruscamente.

— Driiin, driiin...

— Pronto? Pronto, chi parla? Pronto? Pronto! Insomma, chi diavolo...

Dall'altra parte del filo il commissario sente solo le note inquietanti [2] di una musica: la fuga di Bach.

1. **squillo** : suono breve e acuto.
2. **inquietanti** : misteriose e allarmanti.

Comprensione

1 Indica con una ✗ se le affermazioni sono vere o false.

		V	F
1.	La polizia ha trovato il corpo di Irene.	☐	☐
2.	Anche se il commissario la interroga già da ore, Eleonora è tranquilla e sicura.	☐	☐
3.	Irene ha rubato a Eleonora soltanto l'amore.	☐	☐
4.	Quando Irene è diventata prima ballerina, Eleonora ha mostrato a tutti la sua delusione.	☐	☐
5.	Al commissariato Eleonora parla a lungo con Bonardi e si difende.	☐	☐
6.	Nell'ufficio del commissario fa molto caldo.	☐	☐
7.	Nella mente della ballerina risuonano le note della fuga di Bach.	☐	☐
8.	Non si sente nessun rumore nella stanza.	☐	☐
9.	La ballerina vuole parlare con il suo avvocato.	☐	☐
10.	Il commissario riceve un'informazione per telefono.	☐	☐
11.	La seconda telefonata è dell'avvocato Guicciardini.	☐	☐

2 Riordina le frasi seguendo l'ordine cronologico del testo.

a. ☐ La ballerina non dice una parola e pensa tristemente a Boris e alla rivalità con Irene.
b. ☐ Tomasi informa telefonicamente il commissario.
c. ☐ Qualcuno trova il corpo di Irene e telefona alla polizia.
d. ☐ Arriva una seconda telefonata anonima.
e. ☐ A Bonardi viene una fame terribile.
f. ☐ Al commissariato Bonardi interroga Eleonora.

3 **Completa la scheda della persona indiziata.**

Eleonora De Lorenzi

Cognome ....

Nome ....

Cittadinanza ....

Residenza ....

Professione ....

Capelli ....

4 **Ascolta le parole e segna con una ✗ la casella con il simbolo fonetico [s] o [z] corrispondente.**

	[s]	[z]
1. gelosia	☐	☐
2. sua	☐	☐
3. risuonano	☐	☐
4. insinua	☐	☐
5. chiesa	☐	☐
6. soltanto	☐	☐
7. desiderio	☐	☐
8. frase	☐	☐

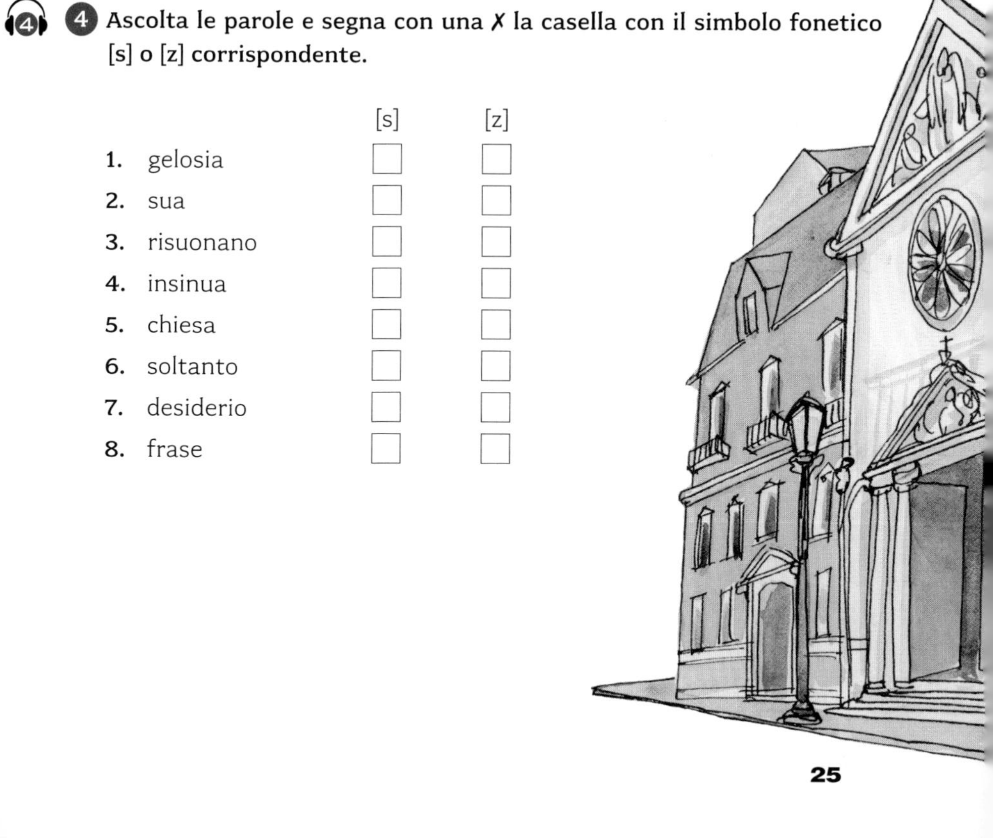

5 **Ascolta e completa le informazioni con poche parole (massimo tre).**

Il giudice Manfredi telefona al commissario per sapere chi ha arrestato per (1) ....
Il commissario gli risponde che ha arrestato (2) .... Eleonora De Lorenzi, ma che la ragazza (3) .... parlare perché (4) .... il suo avvocato.
Purtroppo, però, l'avvocato potrà visitare la sua cliente solo l'indomani; perciò la De Lorenzi (5) .... al commissariato.
Il giudice chiede poi a Bonardi se è (6) .... delle prove contro la ragazza.
Il commissario risponde che, in effetti, sono stati trovati dei (7) .... a quelli di Eleonora sotto le unghie (8) .... Questo nuovo elemento dovrebbe costringere la ballerina a confessare; ma Eleonora si rifiuta di parlare e non si fa uscire una (9) ....

Grammatica

Passato prossimo e imperfetto

Sono tempi molto usati nella lingua italiana. L'imperfetto è costituito da una sola parola (il verbo stesso coniugato), il passato prossimo da due, (l'ausiliare *essere* o *avere* + il participio passato del verbo da coniugare).

	Avere	**Essere**	**Amare**	**Temere**	**Sentire**
Pass. pross.	ho avuto	sono stato	ho amato	ho temuto	ho sentito
Imperfetto	avevo	ero	amavo	temevo	sentivo

Entrambi si riferiscono a un'azione passata, ma hanno sfumature molto diverse.

Il **passato prossimo** indica un'azione istantanea e ben delimitata nel tempo:

Qualcuno ***ha trovato*** *il corpo di Irene.*

L'**imperfetto** indica un'azione nella sua durata e di cui i limiti non sono delineati con precisione:

Tutta Milano ***era*** *al corrente della loro rivalità.*

1 **Osserva queste forme verbali e mettile in ordine nello schema.**

sapevi ho avuto sembrava siete stati/e abbiamo saputo hai nascosto hanno scoperto avevano sembravano hai saputo nascondevo siete stati avevamo scoprivamo stavo

INDICATIVO	
imperfetto	**passato prossimo**
stava	è sembrato/a
scopriva	

1 **Trasforma le seguenti frasi al passato prossimo o all'imperfetto.**

1. Un amico *trova* il corpo di Irene.
   Un amico ha trovato il corpo di Irene.

2. All'inizio Irene non *sa* che Boris ed Eleonora *stanno* insieme.
   ....
   ....

3. Quando *scopre* che Eleonora *ama* Boris *comincia* a fare di tutto per rubarglielo.
   ....
   ....

4. Eleonora *sa* di essere migliore di Irene.
   ....
   ....

5. Con l'astuzia Irene *riesce* a portarle via anche il ruolo di prima ballerina.
   ....
   ....

6. Quando *è* nell'ufficio del commissario, Eleonora *trema* dal freddo e non *riesce* a dire una parola.
   ....
   ....

7. Mentre il commissario la *interroga*, *arriva* la telefonata di Tomasi.
   ....
   ....

8. *Trovano* dei capelli identici a quelli di Eleonora sotto le unghie della vittima.
   ....
   ....

Competenze linguistiche

1 Parole crociate facilitate.

Orizzontali

1. Dura 60 minuti.
2. Brilla nel cielo.
3. Iniziali del vero nome di Sofia Loren (= Scicolone Sofia)
4. Quando si alza, lo spettacolo può iniziare.
5. Si usa per fare un'ipotesi.
6. Dura 365 giorni.
7. Il contrario di no.
8. Ci stanno gli attori prima di entrare in scena.
9. Iniziali di Giacomo Puccini.
10. La compagna di Adamo. / Contrario di irreale.

Verticali

1. Ricopre le spalle di Eleonora.
2. Lo sono le rose che simboleggiano l'amore.
3. Sigla automobilistica di Siena.
4. Quella di Bach ha portato fortuna a Eleonora.
5. Famoso teatro di Milano. / Iniziali della ballerina assassinata.
7. Lo sono i capelli di Eleonora. / È molto romantica con la luna e le stelle.
8. Metallo prezioso.
9. Articolo maschile.
10. Quelli di Eleonora sono lunghi e neri.

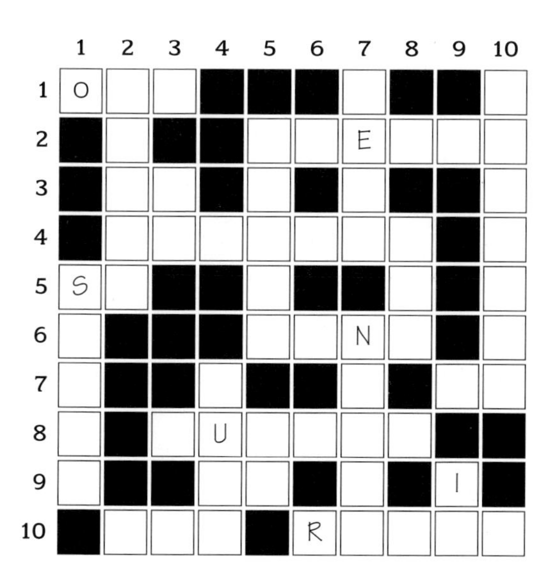

2 **Collega le seguenti espressioni presenti nel testo alle frasi di uguale significato.**

1. fa di tutto
2. è al corrente
3. non ce la fa più
4. si è chiuso in un silenzio totale
5. ha una faccia di bronzo
6. lo manda in bestia
7. mette sotto ai denti

a. non resiste più, non sopporta più la situazione
b. è una persona sfacciata, senza vergogna
c. è informato
d. mangia
e. lo fa arrabbiare, gli fa perdere la pazienza
f. si impegna moltissimo, fa tutto il possibile
g. sta completamente zitto

Produzione scritta

1 **Cosa succederà nei prossimi capitoli? Formula delle ipotesi.**

(da un minimo di 80 ad un massimo di 100 parole)

1. Il commissario scopre l'autore degli scherzi al telefono...
2. Eleonora tenta di suicidarsi in cella...

CAPITOLO 3

Colpo di scena in prigione

Che scherzi sono questi? Insomma, chi parla? Di Pasquale, si sbrighi,[1] mi rintracci[2] la chiamata. Si sbrighi, ho detto! Come, impossibile? Mi prende in giro? Accidenti, hanno riattaccato!

Eleonora se ne sta nel suo angolo con aria assente, guarda il commissario che si agita come un forsennato[3] e lo trova ridicolo. Del resto tutto le appare come in un incubo, a cominciare dal fatto che lei si trovi in quello squallido[4] ufficio di

1. **si sbrighi** : faccia presto.
2. **rintracci** : cerchi l'origine della telefonata, trovi da dove viene.
3. **forsennato** : pazzo.
4. **squallido** : triste, misero, povero.

polizia. Desidera una sola cosa: dormire. Anche il commissario appare visibilmente provato [1] dalle lunghe ore di interrogatorio.

— Di Pasquale, accompagni in cella [2] la signorina; visto che si rifiuta di parlare, bisognerà aspettare il suo avvocato.

Per il commissario, comunque, non ci sono dubbi: è sicuramente lei ad avere ucciso Irene Pavlovich. "La notte (o, almeno, quel che è rimasto della notte!) porta consiglio" pensa Bonardi "si deciderà una buona volta [3] a parlare questa smorfiosa!" [4]

La mattina dopo, verso le dieci, l'avvocato Guicciardini, il legale di Eleonora, si presenta al commissariato. È un uomo elegante, di una quarantina d'anni, che porta sul viso i segni di una vita intensamente vissuta. A Milano gode [5] di una solida reputazione, non ha perso un solo processo e i colleghi lo temono perché le sue arringhe [6] riservano sempre un colpo di scena. [7] Insomma, è uno che finisce sempre per ottenere ciò che vuole. Ha conosciuto Eleonora a Milano, durante una rassegna internazionale di balletto. L'ha notata subito in mezzo alle altre ballerine; così bella, così attraente con quei lunghi capelli che si muovevano come le onde di una cascata nera. Colpo di fulmine? [8] Può darsi... Non si è mai dichiarato, forse per pudore, forse per non ferire il proprio orgoglio, [9] visto che lei è innamorata di un altro. Alla fine di uno spettacolo, però, è andato nel suo

1. **provato** : stanco, affaticato.
2. **cella** : stanza di una prigione.
3. **una buona volta** : prima o poi.
4. **smorfiosa** : antipatica, capricciosa.
5. **gode** : ha, usufruisce.
6. **arringhe** : discorsi di un avvocato in tribunale.
7. **colpo di scena** : improvviso cambiamento di situazione.
8. **colpo di fulmine** : amore a prima vista.
9. **orgoglio** : amor proprio.

camerino, [1] le ha lasciato il suo biglietto da visita e le ha assicurato di essere a sua completa disposizione in caso di necessità. In seguito l'ha invitata diverse volte a concerti di musica classica. Nelle ultime ore ha studiato attentamente l'incartamento [2] di Eleonora: certo, la nuova prova complica molto la situazione. Come spiegare infatti la presenza dei suoi capelli sotto le unghie della vittima? Ma quello che lo preoccupa è soprattutto la sorte [3] riservata alla carriera della giovane ballerina. In effetti Eleonora si trova in un vicolo cieco: [4] anche se sarà assolta, [5] il dubbio resterà; oltretutto nell'ambiente dello spettacolo la gente è terribilmente superstiziosa [6] e se uno si fa la fama di portar male... [7] può anche dimenticarsi il palcoscenico. Quando, finalmente, Eleonora vede entrare l'avvocato nella sua cella si sente sollevata: [8] finalmente uno sguardo amico! Sotto gli occhi di un poliziotto parlano per due ore a voce bassa. Il commissario Bonardi, incuriosito, tende l'orecchio cercando, senza molto successo, di cogliere qualche parola attraverso la porta chiusa. Tutto quello che riesce a sentire è un disperato "Non mi crederanno mai!" e poi la voce dell'avvocato, calma e persuasiva: "È per il suo bene... pensi alla sua carriera... ce ne sono tante in Lombardia, almeno un centinaio... se lei fornisce qualche particolare sarà più credibile... vedrà, andrà tutto

1. **camerino** : piccola stanza dove gli attori si vestono e si truccano.
2. **incartamento** : insieme dei documenti relativi a un caso giudiziario.
3. **sorte** ; destino, futuro.
4. **in un vicolo cieco** : in una situazione disperata, senza via d'uscita.
5. **assolta** : riconosciuta innocente.
6. **superstiziosa** : crede che certe cose portino fortuna e altre sfortuna.
7. **portar male** : portar sfortuna.
8. **sollevata** : meglio, più tranquilla.

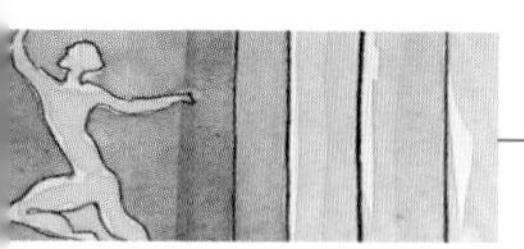

bene..." Più il tempo passa, meno Bonardi sopporta tutte le storie di quella smorfiosa: comunque per lui non c'è ombra di dubbio, la ragazza è certamente colpevole e non è il caso di cercare altrove.

La voce dell'avvocato, forte e decisa, interrompe le riflessioni del commissario.

— Commissario Bonardi, la mia cliente vorrebbe fare una dichiarazione.

— Bene, sono tutto orecchi! [1]

— Ecco, comincia debolmente Eleonora, è vero: la sera prima dello spettacolo sono andata a trovare Irene. Abbiamo litigato per via di Boris e siamo venute alle mani: [2] è stato allora che deve avermi strappato qualche capello. Quando me ne sono andata era ancora viva: abbiamo perfino fatto pace. Del resto Irene aspettava qualcuno...

— Sa chi?

— Non lo so, purtroppo, ma si trattava certamente di un uomo, perché Irene era vestita e truccata con molta cura.

— L'ha visto arrivare?

— No, ma ho visto la sua macchina, una Bugatti rossa, un'auto d'epoca, da collezione.

— Ma nell'appartamento di Irene abbiamo trovato solo le sue impronte [3] e quelle della vittima: come lo spiega?

— Forse l'assassino aveva i guanti...

1. **sono tutto orecchi** : sono pronto ad ascoltare.
2. **siamo venute alle mani** : ci siamo picchiate, siamo arrivate allo scontro fisico.
3. **impronte** : segni lasciati dalle dita.

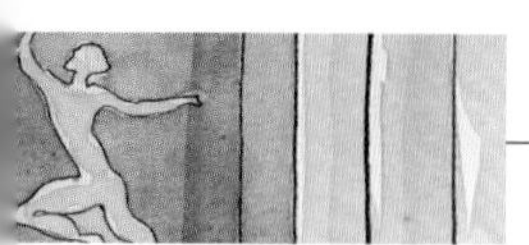

— O forse, cara signorina, lei mente [1] e ha inventato tutta questa storia assurda di riconciliazione, [2] di Bugatti rossa...

— A dire il vero detestavo [3] Irene, lo ammetto, ma non ho mai pensato di ucciderla.

— Ah sì, certo, questo lo dicono tutti i colpevoli.

1. **mente** : non dice la verità.
2. **riconciliazione** : pace.
3. **detestavo** : odiavo.

Comprensione

1 Ascolta attentamente. Alcune parole ed espressioni sono cambiate. Quali? Trovale e completa la tabella.

La **sera** dopo, verso le venti, l'avvocato Guicciardini, il legale di Eleonora, si presenta al commissariato. È un uomo sportivo, di una trentina d'anni, che porta in faccia i segni di una vita intensamente vissuta. A Milano gode di una fragile reputazione, non ha vinto un solo processo e i colleghi hanno paura di lui perché i suoi discorsi in tribunale riservano sempre un colpo di scena. Insomma, è uno che finisce sempre per raggiungere ciò che vuole. Ha conosciuto Eleonora a Firenze durante una rassegna regionale di balletto.

Testo registrato	Testo scritto	Sinonimi	Contrari
1. *sera*	*mattina*	☐	☐
2.		☐	☐
3.		☐	☐
4.		☐	☐
5.		☐	☐
6.		☐	☐
7.		☐	☐
8.		☐	☐
9.		☐	☐
10.		☐	☐
11.		☐	☐
12.		☐	☐

2 LI o GLI?

Ascolta attentamente e completa.

1. Prima di partire, ... ho lasciato il mio bi..........etto da visita.
2. La fami..........a di Ame..........a è molto conosciuta a Camo.......... .
3. In questo parco, è proibito co..........ere i fiori selvatici e disturbare .... anima.......... .
4. Ha troppo orgo..........o per ammettere .... errori che ha fatto.
5. I vico.......... di questa città sono poco illuminati.
6. I lunghi capel.......... neri le cadono su.......... occhi.

CELI 3

3 Rispondi alle seguenti domande.

(da un minimo di 10 a un massimo di 25 parole)

1. Chi è Guicciardini?

   ....

   ....

2. Che reputazione ha a Milano?

   ....

   ....

3. Quali sentimenti prova per Eleonora?

   ....

   ....

4. Cosa rende la difesa di Eleonora particolarmente difficile?

   ....

   ....

5. Eleonora fa una dichiarazione al commissario. Quale?

   ....

   ....

8 **3 Un giornalista intervista il commissario per conoscere gli ultimi sviluppi dell'inchiesta. Ascolta il dialogo e indica con una ✗ la lettera corrispondente all'affermazione corretta.**

1. Il giornalista chiede se la polizia ha trovato
   - a. ☐ Eleonora
   - b. ☐ l'assassino
   - c. ☐ l'autore delle telefonate anonime
   - d. ☐ l'avvocato Guicciardini

2. Alcuni colleghi di Eleonora
   - a. ☐ sono disposti a difenderla
   - b. ☐ pensano che sia troppo ambiziosa, ma non brava
   - c. ☐ pensano che sia molto, troppo brava
   - d. ☐ sospettano di lei

3. Il commissario crede che l'avvocato sia
   - a. ☐ l'amante della ballerina
   - b. ☐ una persona buona e stimata
   - c. ☐ una persona molto conosciuta
   - d. ☐ un gran donnaiolo

4. La Bugatti rossa era davanti alla casa
   - a. ☐ della ballerina
   - b. ☐ dell'assassino
   - c. ☐ della vittima
   - d. ☐ del suo proprietario

5. Quante domande rivolge il giornalista al commissario?
   - a. ☐ quattro
   - b. ☐ cinque
   - c. ☐ sei
   - d. ☐ sette

Grammatica

La forma di cortesia

*È per il **suo** bene ... se **lei fornisce** qualche particolare ... **vedrà**, andrà tutto bene.*

L'avvocato Guicciardini parla con Eleonora e usa la forma di cortesia: le dà del "lei" (= stile formale). Usa la **terza** persona del singolare.

Ecco le stesse frasi in forma familiare:

*È per il **tuo** bene ... se **tu fornisci** qualche particolare ... **vedrai**, andrà tutto bene.*

In questo caso le dà del "tu", usa uno stile informale.
Quindi se parli con un amico dirai:

Che cosa ***desideri***?
Come ***stai***?
E la ***tua*** famiglia?
Mi ***capisci***?

Se parli con una persona che conosci poco o nulla dirai invece:

Che cosa ***desidera***?
Come ***sta***?
E la ***sua*** famiglia?
Mi ***capisce***?

L'imperativo e la forma di cortesia

***Si sbrighi, mi rintracci** la telefonata, **faccia** presto!*

Il commissario dà ordini al signor Di Pasquale usando la forma di cortesia: il verbo va coniugato al congiuntivo presente.

A un amico, direbbe invece in modo informale:

*Antonio, **sbrigati, rintracciami** la telefonata, **fa'** presto!*

1 **Trasforma questi brevi dialoghi usando la forma di cortesia.**

1. Buon giorno, come stai?
Molto bene! E tu?
Non c'è male, grazie! Non ti fai vedere da tanto tempo!

....

....

....

2. Non trovo più i miei documenti!
Li hai messi sul tavolino, vicino alla tua cartella!
Grazie! Senza di te, sarei stato in un bel pasticcio!

....

....

....

3. Dove vai in vacanza?
Vorrei andare al mare, nell'albergo che mi hai consigliato.
È un'ottima idea! Ti troverai benissimo!

....

....

....

4. Ciao! Cosa desideri?
Mi dai qualche mela come quelle che mi hai consigliato l'altra volta?
Certo! Lo sapevo che ti sarebbero piaciute...

....

....

....

2 **Completa le seguenti frasi usando i verbi indicati nella prima colonna.**

Verbo	Stile informale	Stile formale
	Per favore, Antonio:	Per favore, signor Di Pasquale:
Informare me	— se c'è una novità ...informami... subito.	— se c'è una novità ...mi informi... subito.
Aprire a me	— non ho la chiave. .... la porta.	— non ho la chiave. .... la porta.
Telefonare	— .... a questo numero.	— .... a questo numero.
Uscire/ andare	— .... e .... a comprare il giornale.	— .... e .... a comprare il giornale.
Dire a me	— .... che ore sono.	— .... che ore sono.
Portare a me	— .... l'incartamento in ufficio.	— .... l'incartamento in ufficio.
Spedire	— .... questa lettera.	— .... questa lettera.
Mandare	— .... questo fax.	— .... questo fax.
Prenotare a me	— .... una stanza d'albergo.	— .... una stanza d'albergo.

Competenze linguistiche

CELI 3

1 Completa il testo. Inserisci la parola mancante negli spazi numerati.

La polizia non è riuscita (**1**) .... rintracciare la telefonata anonima. Bonardi ormai stanchissimo dopo ore (**2**) .... interrogatorio decide (**3**) .... far accompagnare Eleonora in cella. La mattina dopo arriva (**4**) .... avvocato Guicciardini, un legale famoso (**5**) .... stimato a Milano, innamorato di Eleonora e sempre a (**6**) .... completa disposizione. (**7**) .... situazione è complicata a causa (**8**) .... nuova prova contro di lei e Guicciardini (**9**) .... preoccupato. Dopo il colloquio Eleonora fa una dichiarazione:

— (**10**) .... vero, ho visto Irene prima dello spettacolo, abbiamo litigato e (**11**) .... venute alle mani, forse allora mi (**12**) .... strappato qualche capello. Ma abbiamo fatto subito la pace. Lei aspettava (**13**) .... uomo. Ho visto anche la sua macchina: (**14**) .... una Bugatti rossa.
Ma il commissario non le crede:

— (**15**) .... mente, signorina, e ha inventato tutta questa storia assurda.

2 Collega le espressioni alle frasi che hanno lo stesso significato.

1. Acqua in bocca!
2. Venire alle mani
3. Tende l'orecchio
4. Eleonora fa girare la testa all'avvocato
5. Occhio alle scale!
6. Mi prende in giro?

a. Picchiarsi, arrivare allo scontro fisico
b. Gli piace moltissimo
c. Silenzio! Non parlare con nessuno
d. Fa' attenzione! Sono pericolose
e. Si prende gioco di me?
f. Cerca di sentire

3 Segna con una ✗ la risposta esatta.

1. La *cella* è
   a. ☐ un posto dove si rinchiudono i criminali
   b. ☐ il posto dove lavora Bonardi
   c. ☐ lo studio dell'avvocato Guicciardini

2. *L'incartamento* è
   a. ☐ un regalo avvolto in carta colorata
   b. ☐ l'insieme dei documenti che riguardano un caso giuridico
   c. ☐ un oggetto di carta

3. Un *vicolo cieco* è
   a. ☐ un vicolo buio
   b. ☐ un vicolo senza uscita
   c. ☐ un vicolo che porta ad una piazza

4. Il *camerino* è
   a. ☐ una camera molto piccola
   b. ☐ un luogo dove si lavora
   c. ☐ il posto dove gli artisti si preparano prima dello spettacolo

5. La *sorte* è
   a. ☐ la fortuna
   b. ☐ la sfortuna
   c. ☐ il destino

6. L'*impronta* è
   a. ☐ una macchia lasciata dalle dita
   b. ☐ un segno grazie al quale si può identificare una persona
   c. ☐ un tipo di pelle che si usa per fare i guanti

CAPITOLO 4

La misteriosa Bugatti rossa

È la seconda notte dopo il suo arresto ed Eleonora non riesce a chiudere occhio: i suoi pensieri, concentrati sui terribili avvenimenti delle ultime ore, non le lasciano un attimo di pace. Morirà se dovrà restare tutta la vita in prigione senza ballare mai più: questa è la sua unica certezza. Le parole di conforto [1] dell'avvocato non l'aiutano affatto. "Andrà tutto a posto? Impossibile!" pensa fra sé. Eleonora non è la sola a passare una notte inquieta: anche il commissario Bonardi, che è certo di

1. **conforto** : consolazione.

avere in pugno [1] la colpevole, ma non può dimostrarlo, dorme molto male. All'improvviso, verso le tre di mattina, una telefonata lo sveglia: all'altro capo del filo quella musica ossessionante, la fuga di Bach. Si alza di colpo.

Chi si permette di disturbarlo? Chi si prende gioco di lui? Deve assolutamente scoprire la provenienza di quelle note! Verso le otto, ancora mezzo addormentato e di pessimo umore, arriva in ufficio. Di Pasquale lo guarda sorpreso:

— Commissario, che faccia! Cosa le succede?

— C'è qualcosa che non mi torna... [2]

— Ah! E che cosa? Non è contento? Ha la sua colpevole: senza alibi, ha perfino confessato di essere stata sul luogo del delitto, e aveva anche un movente [3] per uccidere. Cosa vuole di più? È chiaro come il sole.

— Appunto, Di Pasquale, è troppo chiaro... troppo stupido, ci sono troppi indizi, troppe prove... troppo di tutto. E poi, chi mi fa sentire continuamente quella maledetta musica?

— Via, commissario, lei riflette troppo: è di certo un burlone [4] che si vuol solo divertire.

— Non lo so, ma... si ricorda? La ballerina, al momento dell'arresto, stava andando verso una chiesetta e c'era quella musica, poi rieccola al telefono qui in ufficio e infine a casa mia stanotte. Sono convinto che c'è una relazione diretta fra la fuga di Bach e l'assassinio di Irene Pavlovich. È questa la

1. **avere in pugno** : avere in proprio potere; qui, aver trovato.
2. **non mi torna** : non mi sembra logico.
3. **movente** : motivo, ragione.
4. **burlone** : persona che ama scherzare.

traccia [1] da seguire! Intanto mi cerchi i nominativi di tutti i proprietari di Bugatti rosse in Lombardia: non ce ne devono essere tante!

— Ma allora, commissario, secondo lei la ballerina ha detto la verità?

— Non lo so. Ma penso che le soluzioni troppo facili nascondano qualcosa. Fra l'altro non dimentichi che la signorina De Lorenzi non ha confessato.

— Insisto, commissario: lei sta complicando inutilmente la faccenda. Secondo me il caso è già risolto. Confessione o no, Eleonora De Lorenzi è sicuramente colpevole.

Qualche ora dopo...

— Commissario, commissario, guardi che cosa ho trovato: sulla lista dei proprietari di Bugatti rosse ci sono solo due nomi e tutti e due molto interessanti: l'avvocato della signorina De Lorenzi e il ballerino Boris Pietrovich. Che ne dice?

1. **traccia** : segno; qui, pista, serie di indizi.

Comprensione

1 Indica con una ✗ se le affermazioni sono vere o false.

	V	F
1. La seconda notte dopo l'arresto Eleonora dorme benissimo.	☐	☐
2. Eleonora morirà se non potrà ballare mai più.	☐	☐
3. Eleonora è sicura che tutto andrà a finire bene.	☐	☐
4. Una telefonata sveglia Bonardi verso le cinque del mattino.	☐	☐
5. È l'avvocato Guicciardini che lo disturba a quell'ora.	☐	☐
6. Bonardi arriva in ufficio stanco e di pessimo umore.	☐	☐
7. Per il commissario il caso non è chiaro e logico come pensa Di Pasquale.	☐	☐
8. Bonardi non crede che ci sia una relazione fra la musica di Bach e l'assassinio di Irene.	☐	☐
9. Eleonora ha confessato.	☐	☐
10. Di Pasquale cerca i nominativi dei proprietari di Bugatti rosse in Lombardia.	☐	☐
11. Ci sono soltanto tre proprietari d'auto di quel tipo.	☐	☐

2 Disponi cronologicamente i seguenti fatti. Le lettere corrispondenti ti daranno il nome di una donna o di una resina fossile gialla e trasparente.

☐ R Di Pasquale cerca i proprietari delle Bugatti rosse.

☐ A In prigione Eleonora è disperata e non riesce a dormire.

☐ [B] Il commissario Bonardi, contrariamente a Di Pasquale, non può credere che il caso sia già risolto.

☐ [A] Ci sono due Bugatti rosse in Lombardia: quella dell'avvocato di Eleonora e quella di Boris.

☐ [M] All'alba una telefonata sveglia il commissario, all'altro capo del filo si sente la fuga di Bach.

9 **3 Ascolta attentamente l'inizio del capitolo. Sottolinea le parole diverse e correggile.**

È la terza notte dopo il suo arresto ed Eleonora non riesce a dormire: i suoi pensieri, concentrati sulle terribili avventure degli ultimi giorni, non le lasciano un attimo di tregua. Morirà certamente se resterà tutta la sua vita in prigione senza poter ballare mai più: questa è la sua unica certezza. Le parole confuse dell'avvocato non l'aiutano per niente. "Andrà tutto a posto? Impossibile!" pensa fra sé. Eleonora non è la sola a passare una notte inquieta: anche il commissario Bonardi, che è certo di avere in mano la colpevole, ma non lo può dimostrare, dorme malissimo. All'improvviso, verso le sei del mattino, una telefonata lo sveglia: all'altro capo del filo quella musica ossessiva, la fuga di Bach. Si alza di scatto.

1. seconda
2. ....
3. ....
4. ....
5. ....
6. ....
7. ....
8. ....
9. ....
10. ....
11. ....
12. ....
13. ....
14. ....
15. ....
16. ....
17. ....
18. ....

Grammatica

Le preposizioni articolate

Osserva come si formano le preposizioni articolate e completa lo schema sottostante:

articoli		preposizioni semplici		preposizioni articolate
il lo la l' i gli le	+	di a da in con su per tra fra	=	nel nella dal dallo alle sugli dell' all' delle

<table>
<tr><td colspan="2"></td><td colspan="8">Preposizioni semplici</td></tr>
<tr><td></td><td>Articoli +</td><td>a</td><td>di</td><td>da</td><td>in</td><td>su</td><td>con</td><td>per</td><td>tra, fra</td></tr>
<tr><td>il caso</td><td>il</td><td></td><td>del</td><td></td><td></td><td></td><td colspan="3" rowspan="7">Attenzione!
per, tra e fra non si uniscono all'articolo
con generalmente non si unisce, ma è possibile trovare qualche volta:
col cuore,
coi piedi, ecc.</td></tr>
<tr><td>lo spettacolo</td><td>lo</td><td></td><td></td><td></td><td></td><td></td></tr>
<tr><td>l'ufficio
l'automobile</td><td>l'</td><td>all'</td><td></td><td></td><td></td><td></td></tr>
<tr><td>la ballerina</td><td>la</td><td></td><td></td><td></td><td></td><td></td></tr>
<tr><td>i casi</td><td>i</td><td></td><td></td><td></td><td></td><td>sui</td></tr>
<tr><td>gli spettacoli
gli uffici</td><td>gli</td><td></td><td></td><td>dagli</td><td></td><td></td></tr>
<tr><td>le automobili
le ballerine</td><td>le</td><td></td><td></td><td></td><td>nelle</td><td></td></tr>
</table>

1 **Completa le frasi con le preposizioni indicate.**
(È possibile usare la stessa preposizione più volte.)

a al alla all' di della dello in con

1. .... fine .... spettacolo Eleonora era .... settimo cielo, si sentiva .... paradiso, e ora pensa .... essere .... inferno.
2. "Voglio parlare .... il mio avvocato" dice .... commissario.

3. .... Bonardi viene sempre fame .... notte.
4. Bonardi e Di Pasquale discutono .... situazione .... Eleonora.

a di della delle in nell' dall' dalle

1. .... ufficio .... polizia fa freddo perché il vento penetra .... fessure .... finestre.
2. Sono passati due giorni .... arresto .... ballerina.
3. Il commissario non riesce .... convincere Eleonora .... confessare.
4. Bonardi ha ricevuto due telefonate anonime, la prima .... ufficio e la seconda .... casa.

di dei degli del alla da
nella fra sui per con

1. La notte .... suo arresto Eleonora ha sentito la fuga .... Bach che proveniva .... una chiesetta.
2. Il mattino dopo l'avvocato Guicciardini va subito .... polizia .... poter parlare .... Eleonora.
3. I pensieri .... Eleonora sono concentrati .... terribili avvenimenti .... ultimi giorni.
4. "Che faccia .... bronzo!" pensa .... sé il commissario.
5. .... lista .... proprietari .... Bugatti rosse ci sono solo due nomi.

Competenze linguistiche

Modi di dire

Non chiudere occhio – chiudere un occhio

– *Bonardi* ***non*** *riesce a* ***chiudere occhio****.*

– *Stanotte* ***non ho chiuso occhio*** *ed ora sono stanco morto e di pessimo umore.*

— *Sono passato con il rosso e un vigile mi ha fermato:*
"Per questa volta ***chiudo un occhio****" mi ha detto, "ma la prossima volta le faccio una multa!"*

Avere / tenere in pugno — fare a pugni

— *Il commissario è sicuro di* ***avere in pugno*** *la colpevole.*

— *Eleonora ed Irene sono venute alle mani,* ***hanno fatto a pugni.***

Prendere un pugno in un occhio — essere un pugno in un occhio

— *Ho preso un* ***pugno in un occhio*** *e adesso ho un occhio nero.*

— *Quel quadro è bruttissimo, è proprio un* ***pugno in un occhio****!!!*

1 Segna con una ✗ il significato esatto delle seguenti espressioni.

1. Un pugno di uomini
   - ☐ moltissima gente
   - ☐ un piccolo numero di persone
   - ☐ tre amici
2. Andrà tutto a posto
   - ☐ tutto si risolverà
   - ☐ il commissario metterà in ordine l'ufficio
   - ☐ tutti andranno al proprio posto
3. Si prende gioco di lui
   - ☐ va a giocare con lui
   - ☐ lo fa divertire
   - ☐ lo prende in giro
4. Non mi torna
   - ☐ non lo voglio più vedere
   - ☐ non mi interessa
   - ☐ non mi convince
5. Avere in pugno
   - ☐ essere padrone della situazione
   - ☐ prendere a pugni
   - ☐ dare un pugno in un occhio

Carla *Fracci*

Carla Fracci è una ballerina di fama internazionale; il suo modo leggiadro ed elegante di danzare ha conquistato il pubblico, la sua capacità di interpretazione ha commosso il mondo.

Protagonista da più di cinquant'anni del panorama della danza, la Fracci continua a stupire per la sua tenacia, vitalità e voglia di mettersi alla prova.

È ancora oggi il simbolo della danza classica e un modello per le giovani ballerine.

Eppure, il primo approccio con la danza è avvenuto quasi per caso: il padre è appassionato di tango e su consiglio di un amico decide di iscrivere la figlia al concorso per entrare nella rinomatissima scuola di ballo del Teatro alla Scala.

La piccola Carla passa inaspettatamente le selezioni, è ammessa nella scuola, si diploma nel 1954 e l'anno seguente entra a far parte del Corpo di Ballo del teatro.

Solo qualche mese dopo, ecco arrivare un'occasione unica: l'Opéra di Parigi presentava al Teatro alla Scala la "Cenerentola", ma la prima ballerina dà forfait e Carla Fracci viene selezionata per sostituirla.

È l'inizio di una sfolgorante carriera: nel 1958 diventa prima ballerina del famoso teatro di Milano, si esibisce in Italia e all'estero con i ballerini più bravi del mondo (primo fra tutti Rudolph Nureyev). Passata nel 1974 all'American Ballet Theatre, diventa nel 1988 direttrice del Teatro San Carlo di Napoli, poi dell'Arena di Verona e del Teatro alla Scala, infine dell'Opera di Roma.

1 **La carriera di Carla Fracci e quella di Eleonora hanno un punto in comune. Quale?**

CAPITOLO 5

La strana ossessione della fuga di Bach

Qualche ora dopo Bonardi si reca [1] personalmente a casa dell'avvocato Guicciardini. Una convocazione ufficiale darebbe troppo nell'occhio: [2] le voci circolano, si sa, e i giornalisti sono sempre in agguato. [3] L'avvocato non abita in città, ma sulle colline della Brianza, [4] dove il lusso della sua villa si nasconde discretamente nel verde di un parco ben curato. Bonardi suona il campanello e si annuncia [5] al citofono: il

1. **si reca** : va.
2. **darebbe troppo nell'occhio** : sarebbe troppo evidente.
3. **in agguato** : a caccia.
4. **Brianza** : zona della Lombardia vicina a Milano.
5. **si annuncia** : si presenta, dice il proprio nome.

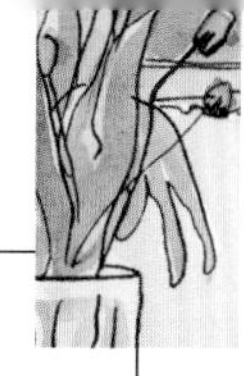

cancello elettrico si apre lentamente e le ruote della modesta utilitaria [1] di Bonardi (con il suo mestiere non si arricchisce di certo!) fanno scricchiolare [2] la ghiaia [3] del vialetto. Un maggiordomo in livrea [4] gli apre il portone e lo fa entrare:

— Si accomodi nel salottino, signor commissario, l'avvocato sarà da lei tra un attimo.

Bonardi non crede ai suoi occhi: "Se questo è il salotto piccolo, come saranno gli altri?" Guarda incredulo le pareti: "Ma quello non è un quadro del Tintoretto? E quell'altro un Parmigianino? Quello laggiù, poi, sembra proprio un Picasso. Beh, vediamo un po' la firma: in una villa del genere non c'è posto per le copie." Camminando su un bellissimo tappeto persiano si avvicina alla tela... [5] L'urlo di una sirena lacera [6] l'aria e risuona in tutte le stanze.

— Commissario Bonardi, le presento il mio sistema di allarme!

Intimidito, il commissario balbetta [7] qualche parola di scusa.

— Non deve scusarsi, commissario, non poteva sapere... Basta avvicinarsi ai quadri per far scattare l'allarme: io ci sono abituato ma anche la servitù, a volte, se ne dimentica. D'altra parte quando si possiede una collezione del genere bisogna prendere qualche precauzione. [8] A cosa devo l'onore della sua visita?

— Si tratta di... Avvocato, lei ha una Bugatti rossa?

1. **utilitaria** : piccola auto economica.
2. **scricchiolare** : fare un rumore secco.
3. **ghiaia** : pietre o sassi molto piccoli.
4. **livrea** : uniforme, divisa.
5. **tela** : quadro.
6. **lacera** : strappa. Qui, attraversa.
7. **balbetta** : pronuncia in modo confuso.
8. **prendere qualche precauzione** : essere prudenti.

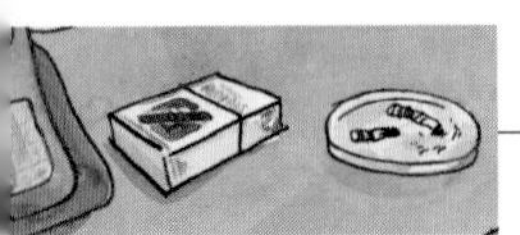

— Esatto. Ah, ora capisco dove vuole arrivare: sta cercando di chiedermi, con tatto squisito, [1] se la sera del delitto avevo un appuntamento con Irene. Spiacente [2] di deluderla, amico mio: quel giorno ero a Parma a un raduno [3] di auto d'epoca. Ho lasciato Milano alle otto di mattina e sono rientrato alle nove di sera, come prova lo scontrino [4] dell'autostrada. A quell'ora Irene era già morta. Se vuole conferma, chieda al signor Di Benedetto, l'organizzatore del raduno.

— Le credo sulla parola ma... mi dia comunque il numero. Posso chiamare da qui?

— Certo, faccia come a casa sua: c'è un telefono sul tavolino nell'angolo, prego, si accomodi.

L'amabilità dell'avvocato disorienta [5] un po' il commissario, che ha la spiacevole sensazione di aver fatto brutta figura. [6] Il signor Di Benedetto, infatti, conferma: l'avvocato ha un alibi di ferro. Appena uscito, il commissario ha come l'impressione di aver dimenticato qualcosa. Ah, sì: la sua inseparabile agenda è rimasta sul tavolino del telefono, accanto ad un pacchetto di sigarette inglesi. Quando il maggiordomo apre di nuovo la porta arrivano distintamente all'orecchio di Bonardi le note della fuga di Bach che lo perseguita dall'inizio dell'inchiesta!

1. **con tatto squisito** : con grande finezza.
2. **spiacente** : mi dispiace.
3. **raduno** : riunione, incontro.
4. **scontrino** : ricevuta di pagamento.
5. **disorienta** : confonde.
6. **fare brutta figura** : dire o fare qualcosa di imbarazzante per sè e per gli altri.

Comprensione

1 Indica con una ✗ se le affermazioni sono vere o false.

		V	F
1.	Il commissario va a casa di Guicciardini.	☐	☐
2.	Bonardi invita ufficialmente l'avvocato a presentarsi alla polizia.	☐	☐
3.	Guicciardini abita sulle colline del Monferrato.	☐	☐
4.	Alla porta della villa si presenta un maggiordomo in uniforme.	☐	☐
5.	Bonardi aspetta l'avvocato nel salotto grande.	☐	☐
6.	Alle pareti della stanza ci sono quadri di poco valore.	☐	☐
7.	Bonardi si avvicina a una tela e fa scattare l'allarme.	☐	☐
8.	Il commissario chiede a Guicciardini se la sera del delitto avesse un appuntamento con Irene.	☐	☐
9.	Bonardi telefona all'organizzatore di un raduno di auto d'epoca.	☐	☐
10.	Il commissario è disorientato dalla gentilezza dell'avvocato.	☐	☐
11.	Bonardi ha dimenticato la sua agenda in ufficio.	☐	☐
12.	Anche a casa di Guicciardini si sente di nuovo la fuga di Bach.	☐	☐

11 **2 Una o due consonanti? Ascolta attentamente e completa.**

Questa no......e, le ste......e bri......ano nel cie......o. Le no......e della fuga di Bach so......o un'ossessione per il po......ero co......issario! Ha molto so......o, ma non può dormire. Tu......i temono le a......inghe di Guicciardini. "La se......a del delitto, curavo i fiori nella mia se......a, con il mio giardiniere: ho un a......ibi di fe......o."

CELI 3

12 **3 Ascolta il dialogo tra Bonardi e sua moglie, che è molto curiosa e vuole sapere tutto di Guicciardini. Indica con una ✗ la lettera corrispondente all'affermazione corretta.**

1. L'avvocato vive in
   a. ☐ un elegante appartamento al centro di Milano
   b. ☐ una villa con giardino
   c. ☐ una villa con parco
2. L'avvocato ha paura dei ladri?
   a. ☐ No, perché ha un sistema di allarme molto efficace
   b. ☐ Sì, anche se ha un ottimo sistema d'allarme
   c. ☐ Sì, ma ha un ottimo sistema d'allarme
3. Alla domanda relativa all'atteggiamento dell'avvocato, il commissario risponde in modo
   a. ☐ evasivo
   b. ☐ preciso
   c. ☐ nervoso
4. La moglie chiede informazioni su
   a. ☐ indirizzo, arredamento e personale della villa
   b. ☐ abbigliamento, atteggiamento, aspetto dell'avvocato
   c. ☐ sospetti del marito e ragioni dell'interrogatorio
5. Il commissario è andato da Guicciardini perché
   a. ☐ ha dei sospetti
   b. ☐ l'avvocato è proprietario di una Bugatti rossa
   c. ☐ l'atteggiamento dell'avvocato è strano

4 Sei il proprietario dell'agenzia immobiliare ERREBI. Quale casa, tra quelle a tua disposizione, consigli alle seguenti persone?

1. ☐ Un signore d'aspetto raffinato e molto elegante che vuole comprare una villa lussuosa con giardino.
2. ☐ Due giovani sposi cercano una casa per l'estate, vicino al mare.
3. ☐ Un anziano signore, sicuramente molto ricco, cerca un alloggio con vista sul mare.
4. ☐ Una coppia di giovani professionisti cerca casa in zona centrale. Vogliono assolutamente un garage o un posto auto.

AGENZIA IMMOBILIARE ERREBI

SAN BARTOLOMEO AL MARE – DIANO MARINA

a. **ALASSIO** fronte mare vendesi alloggio molto signorile con ampi terrazzi e vista stupenda. € 320.000

b. **CERVO** alloggio in piccola palazzina al terzo piano composto di: ingresso, cucina sala, camera da letto, ripostiglio, balcone verandato. Vista mare. € 220.000

c. **DIANO MARINA** villa su due livelli mq 250 ca. giardino, garage, ottima posizione. Vista mare molto bella. € 650.000

d. **DIANO MARINA** vicino al mare vendesi ampio bilocale con cucina, terrazzo, posto auto. € 275.000

e. **DIANO MARINA** a 1,5 km dal mare vendesi piano superiore di villa indipendente di 120 mq ca. con 700 mq di terreno. € 440.000

f. **DIANO MARINA** ottima posizione, vista mare vendesi villa di nuova costruzione su due livelli con ampi terrazzi. Terreno 1.000 mq ca. € 780.000

g. **SAN BARTOLOMEO AL MARE** vicinissimo al mare alloggio piano secondo composto di ingresso, cucina, sala, camera da letto, servizi, balconi. € 450.000

h. **SAN BARTOLOMEO AL MARE** in bel condominio centrale vendesi bilocale con ampio balcone, cantina, posto auto. € 120.000

i. **SAN BARTOLOMEO AL MARE** centro paese vendesi alloggio composto di ingresso, 2 camere da letto, sala, servizio, balcone, rip. Vista aperta. € 250.000

Grammatica

Nomi, aggettivi e avverbi alterati

In italiano esistono alcuni **suffissi** che danno alle parole un significato leggermente diverso.

Diminutivi:	*(-ino)* tavol-ino *(-etto)* cas-etta *(-ello)* vin-ello *(-icciolo)* port-icciolo *(-icello)* vent-icello	piccolo
Vezzeggiativi:	*(-uccio)* cavall-uccio *(olo)* figli-ola *(-acchiotto)* ors-acchiotto	grazioso, carino
Accrescitivi:	*(-one)* nas-one	grande
Peggiorativi:	*(-accio)* temp-accio *(-astro)* poet-astro *(-ucolo)* poet-ucolo *(-iciattolo)* fium-iciattolo *(-aglia)* gent-aglia	cattivo, di bassa qualità

I suffissi mantengono, ovviamente, il genere e il numero della parola a cui si aggiungono:

- nel caso dei **nomi** e degli **aggettivi**, varieranno in base a genere (maschile e femminile) e numero (singolare e plurale):

  il** cagnett**o   ***i** cagnett**i***
  la** brandin**a   ***le** brandin**e***

- nel caso degli **avverbi**, resteranno invariabili:

  benino   *maluccio*   *benone*   *malaccio*

Attenzione!
Non tutti i sostantivi con questi suffissi sono alterati: *mattone* non deriva da "matto", *mulino* non deriva da "mulo".

1 **Completa la tabella identificando i nomi alterati (Sì, No) e se sono diminutivi (D), vezzeggiativi (V), accrescitivi (A) o peggiorativi (P).**

	Sì	No	D	V	A	P	Deriva da
giardino		✗					
tavolone	✗					✗	tavolo
cugino							
bigliettino							
ragazzaccio							
casetta							
stazione							
stanzetta							
regaluccio							
cagnaccio							
canzone							
quadretto							
lavorone							
salottino							
gattone							

Competenze linguistiche

1 **In questa griglia si nascondono 11 parole che si riferiscono alla casa. Trovale. Le lettere rimaste ti daranno il nome della residenza del Presidente della Repubblica Italiana.**

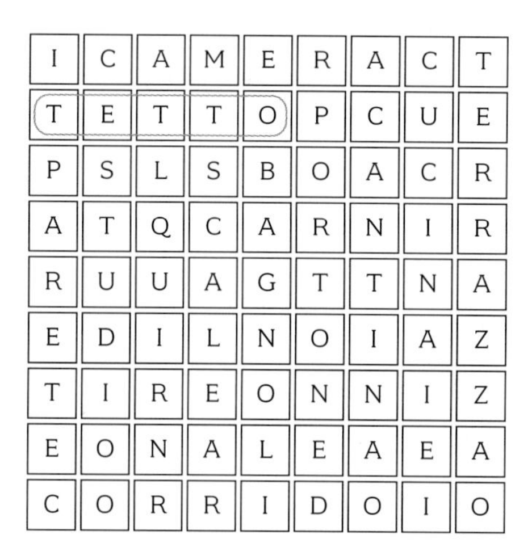

I	C	A	M	E	R	A	C	T
T	E	T	T	O	P	C	U	E
P	S	L	S	B	O	A	C	R
A	T	Q	C	A	R	N	I	R
R	U	U	A	G	T	T	N	A
E	D	I	L	N	O	I	A	Z
T	I	R	E	O	N	N	I	Z
E	O	N	A	L	E	A	E	A
C	O	R	R	I	D	O	I	O

_ _   _ _ _ _ _ _ _ _ _

2 **Cerca nel capitolo le parole adatte a completare queste frasi.**

1. Gli animali che aspettano la preda e i giornalisti che danno la caccia a una notizia importante sono in ....
2. Se un quadro non è autentico, è una ....
3. La Ferrari non ne fa, ma la Fiat sì. Sono le ....
4. Quella delle ambulanze mette angoscia. È la ....

Produzione orale

1 Osserva la piantina di questo appartamento.

- Descrivi le stanze e i mobili.
- Secondo te quante persone abitano in questa casa? Come le immagini?
- E tu vivi in un appartamento? Con chi? Ti piace?

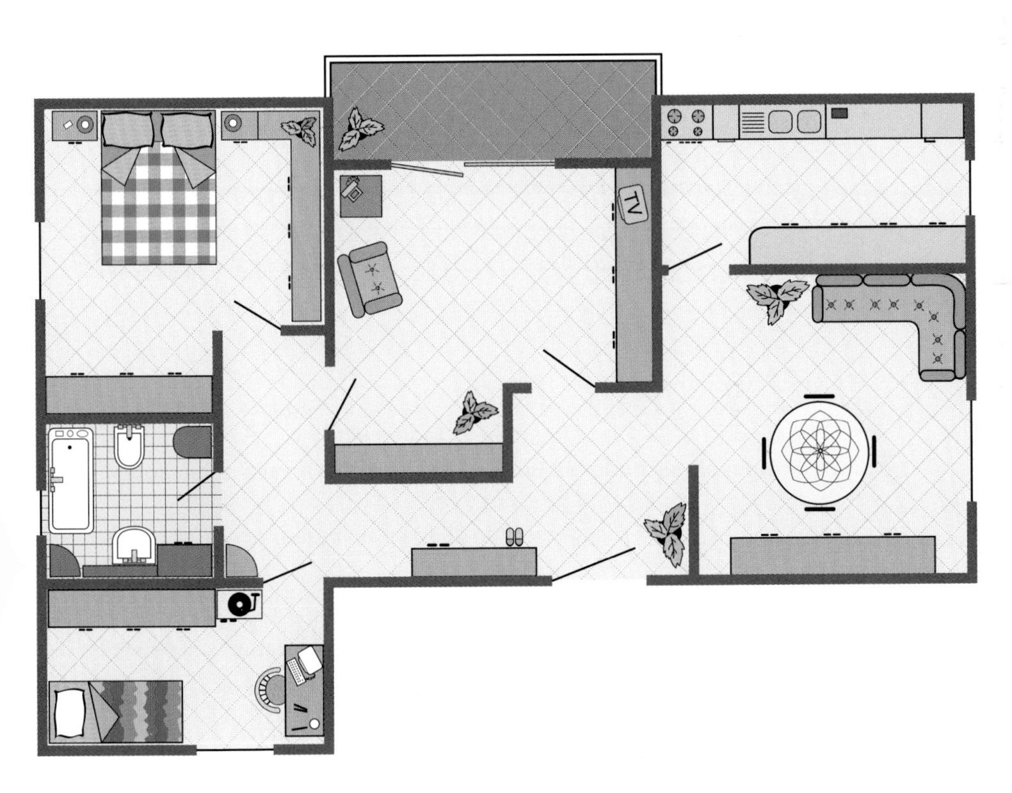

Produzione scritta

CELI 3

1 Secondo te, è l'avvocato a perseguitare il povero commissario con la fuga di Bach? Se è lui perché lo fa? Se non è l'avvocato, può trattarsi di un caso, di una semplice coincidenza?

(da un minimo di 80 ad un massimo di 100 parole)

....

....

....

....

....

....

....

....

....

CELI 3

2 Chi è il colpevole secondo te? Boris o l'avvocato? Formula delle ipotesi.

(da un minimo di 80 ad un massimo di 100 parole)

....

....

....

....

....

....

....

....

CELI 3

3 **Completa il testo. Inserisci la parola mancante negli spazi numerati.**

Nel mondo della danza bisogna dare sempre (**1**)................ di nuovo ed essere pronti a rimettersi (**2**)................ discussione: io (**3**)................ danzato in centinaia di spettacoli, ho consumato migliaia di scarpine (**4**)................ ballo, ho percorso chilometri (**5**)................ legno del palcoscenico, ho viaggiato moltissimo, ma (**6**)................ volta, (**7**)................ me, è quasi "un debutto". Certo, (**8**)................ sono momenti di crisi: c'è (**9**)................ litiga, chi è geloso, chi fa i capricci: ma (**10**)................ forma d'arte è così esigente (**11**)................ sul palcoscenico si dimentica tutto.
Una ballerina deve pensare a (**12**)................ stessa e a (**13**)................ che deve fare; deve seguire la musica, ricordare, esprimere.
Ho danzato con i (**14**)................ grandi ballerini ed è superfluo dire (**15**)................ avere un buon partner ti aiuta moltissimo. E moltiplica (**16**)................ possibilità di realizzare (**17**)................ spettacolo di qualità.
So di essere diventata un simbolo (**18**)................ tanta gente, occupo (**19**)................ cuore di molti un posto (**20**)................ non avrei mai pensato di avere.

CAPITOLO 6

Che pasticcio! [1]

Il maggiordomo, visibilmente seccato [2] dalla presenza inopportuna [3] del commissario, dice in modo brusco: [4]

— Spiacente, l'avvocato al momento ha da fare e non la può ricevere.

— Per favore, gli dica che voglio assolutamente vederlo.

Il maggiordomo cerca di sbarrargli il passo, [5] ma Bonardi si libera con una violenta spallata e sale di corsa le scale.

— Signore, le proibisco..., urla il maggiordomo fuori di sé, se non si ferma, chiamo la polizia!

Il commissario scoppia in una risata ironica e si dirige verso

1. **pasticcio** : situazione complicata e difficile.
2. **seccato** : irritato, infastidito.
3. **inopportuna** : fastidiosa.
4. **brusco** : sgarbato, poco gentile.
5. **sbarrargli il passo** : impedirgli di proseguire.

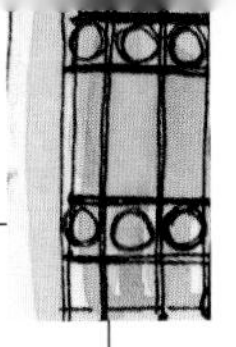

la musica ossessiva che proviene dal salone. Lusso, ricchezza, profumi raffinati regnano nell'immensa dimora [1] e Bonardi si sente un po' intimidito. [2] L'avvocato, in veste da camera di seta, fuma una sigaretta dall'aroma dolciastro, probabilmente una di quelle che Bonardi ha visto sul tavolino del telefono. Non sembra stupito di vedere il commissario e lo accoglie con un sorrisetto maligno:

— Eccola di nuovo, commissario, dice con l'aria più calma del mondo.

"Forse mi sono sbagliato" pensa Bonardi.

— Questa musica, farfuglia, [3] questa musica... allora è lei?

— Come 'sono io'? Che intende dire? Commissario, mi sta accusando di amare Bach? È veramente ridicolo!, dice con un tono sarcastico che fa sentire Bonardi un perfetto imbecille. [4] Tutta quella raffinatezza, quell'eleganza, quella nobiltà lo mettono a disagio: si rende improvvisamente conto di essere coperto di sudore, di avere il cappotto spiegazzato e la barba lunga.

— Mmm..., la prego di scusarmi: in effetti non ho nessuna prova, ma non dimentichi che la tengo d'occhio. [5]

— Caro commissario, lei è proprio patetico, [6] mi creda, risponde Guicciardini con una risata.

Povero Bonardi! Tutto sembra essere contro di lui: anche la pioggia sottile che cadeva da un paio d'ore si è trasformata in

1. **dimora** : casa, abitazione.
2. **intimidito** : reso timido, a disagio, timoroso.
3. **farfuglia** : balbetta.
4. **imbecille** : stupido.
5. **la tengo d'occhio** : la tengo sotto controllo.
6. **patetico** : ridicolo, che fa pena.

un vero e proprio diluvio che rende difficile la guida. Bonardi cerca di concentrarsi sulla strada, ma il suo pensiero torna continuamente sulla stessa, spiacevole idea: si è fatto ingannare e ha le mani legate. [1] È un asso, [2] quel Guicciardini: ha una risposta a tutto, sembra prevenire ogni obiezione con argomenti inattaccabili... [3] Per il momento, comunque, lui non ha scelta: dato che la pista Guicciardini non porta a niente, non resta che interrogare Boris, il proprietario dell'altra Bugatti rossa.

Il ballerino abita in un quartiere un po' squallido: dall'inchiesta è emerso [4] che ha il vizio di giocare somme enormi alla roulette e la sfortuna di perdere quasi sempre; e tuttavia non vuole assolutamente separarsi dalla sua Bugatti, l'unica cosa a cui tenga veramente. Qualche tempo prima è stato anche implicato [5] in uno scandalo, una storia di bische clandestine [6] e, pare, anche di spaccio [7] di droga. Proprio l'avvocato Guicciardini, conosciuto grazie a Eleonora, lo aveva tirato fuori dai guai. Quasi senza accorgersene Bonardi è arrivato a casa di Boris. Suona diverse volte: nessuna risposta. Eppure è sicuro di aver sentito dei rumori dietro la porta dell'appartamento, dei passi che si allontanano velocemente...

1. **ha le mani legate** : non può fare niente.
2. **asso** : carta da gioco vincente, (fig.) è bravissimo.
3. **inattaccabili** : indiscutibili, che non si possono mettere in dubbio.
4. **emerso** : venuto fuori.
5. **implicato** : coinvolto.
6. **bische clandestine** : locali dove si gioca illegalmente.
7. **spaccio** : vendita illegale.

Comprensione

CELI 3

1 Segna con una ✗ la lettera corrispondente all'affermazione corretta.

1. Il maggiordomo accoglie il commissario con
   - a. ☐ piacere
   - b. ☐ sorpresa
   - c. ☐ freddezza
   - d. ☐ maleducazione

2. Il maggiordomo annuncia al commissario che l'avvocato
   - a. ☐ non può riceverlo
   - b. ☐ sarà lieto di riceverlo
   - c. ☐ sta facendo il bagno
   - d. ☐ lo aspetta nel salone

3. Il commissario
   - a. ☐ rimane nell'ingresso
   - b. ☐ passa lo stesso
   - c. ☐ dice che ripasserà
   - d. ☐ grida all'avvocato di scendere

4. Quando arriva il commissario l'avvocato
   - a. ☐ è in bagno
   - b. ☐ sta leggendo
   - c. ☐ sta fumando una sigaretta
   - d. ☐ sta lavorando

5. L'avvocato lo accoglie
   - a. ☐ con un sorriso malizioso
   - b. ☐ con un sorriso cordiale
   - c. ☐ con una risata ironica
   - d. ☐ con uno sguardo indifferente

6. Il commissario si sente
   a. ☐ ridicolo
   b. ☐ imbecille
   c. ☐ a disagio
   d. ☐ nervoso

7. Boris
   a. ☐ ha molti debiti e quindi vuole separarsi dalla Bugatti
   b. ☐ non è molto ricco perché gioca d'azzardo
   c. ☐ non ha molti soldi perché guadagna poco
   d. ☐ era stato messo nei guai dall'avvocato Guicciardini

8. Bonardi
   a. ☐ non trova Boris in casa e se ne va
   b. ☐ crede di vedere un uomo che si allontana
   c. ☐ crede di sentire dei rumori dietro la porta
   d. ☐ suona una volta, ma non riceve risposta

CELI 3

13 **2 Ascolta e completa le informazioni con poche parole (massimo tre).**

La casa di Boris si trova (**1**) .... quasi popolare. In effetti, il ballerino ha il vizio di giocare e, oltre tutto, perde (**2**) .... Nonostante i molti debiti, non vuole separarsi (**3**) ...., alla quale tiene moltissimo. Boris era stato coinvolto in una storia (**4**) .... e di traffico di droga. Era stato proprio (**5**) .... a tirarlo (**6**) .... Una volta arrivato a casa di Boris, Bonardi suona (**7**) ...., senza ricevere risposta.
Il commissario sente dei rumori dietro la (**8**) .... e dei passi che (**9**) .... velocemente.

3 **Ascolta e ripeti le parole correttamente.**

14 **4** **Ascolta nuovamente e osserva come sono scritte queste parole e come si pronuncia la lettera C.**

colazione amì**ci** **ce**na **ca**sa an**che**
chiesa **ci**elo in**ce**rto **ci** sono in**co**ntro
c'è **chi** **cu**ore **co**ntrollo **ca**ldo

suono "duro" = [k]
- CA
- CHE
- CHI
- CO
- CU

suono "dolce" = [tʃ]
- CE
- CI

Segna ora con una ✗ il suono corrispondente ad ogni parola.

suono	[k]	[tʃ]	suono	[k]	[tʃ]	suono	[k]	[tʃ]
colazione	✗		chiesa			c'è		
amici		✗	cielo			chi		
cena			incerto			cuore		
casa			ci sono			controllo		
anche			incontro			caldo		

Grammatica

I pronomi personali complemento

Il **complemento oggetto** si collega al verbo senza preposizione:

Spiacente, l'avvocato non ***la*** (= Lei) *può ricevere.*

Lo (= lui) *accoglie con un sorrisetto maligno.*

Il **complemento di termine** è invece introdotto dalla preposizione "**a**":

Signore, ***le*** (= **a** Lei) *posso telefonare questo pomeriggio?*

Per favore, gli (= **a** lui) *dica che...*

Complemento oggetto	Complemento di termine
mi	mi
ti	ti
lo	gli
la	le
ci	ci
vi	vi
li >	loro *(sempre dopo il verbo)*
le >	

I pronomi personali complemento vanno messi generalmente davanti al verbo.
Con l'infinito, il gerundio e l'imperativo (tranne che alla forma di cortesia) i pronomi sono aggiunti dopo il verbo.

*Il maggiordomo cerca di sbarrar****gli*** *il passo.* (infinito)

*Parlavo guardando****li*** *intensamente.* (gerundio)

*Ascolta****li*** *con attenzione!* (imperativo) **ma** ***Le*** (= a Lei) *proibisco...*

1 **Rileggi il capitolo sottolineando in verde i pronomi complemento oggetto e in rosso i pronomi complemento di termine.**

2 **Sostituisci le espressioni in neretto con il pronome personale appropriato.**

1. Il maggiordomo non riceve **il commissario** con gentilezza.

   ....

2. Il maggiordomo urla **al commissario** di fermarsi.

   ....

3. Bonardi crede di sentire **la fuga di Bach**.

   ....

4. Bonardi deve accettare **gli argomenti inattaccabili dell'avvocato.**

   ....

5. Bonardi chiede scusa **all'avvocato.**

   ....

6. Guicciardini tratta **Bonardi** con sarcasmo.

   ....

7. Il commissario non sopporta **le maniere di Guicciardini**.

   ....

8. Boris deve molto **ad Eleonora e all'avvocato**.

   ....

9. **Al commissario** sembra di sentire dei passi dietro la porta.

   ....

Competenze linguistiche

L'uso di "fuori"

— *Pronto, c'è Marco?*
— *No, è **fuori** per lavoro, ritorna domani sera.*

— *Posso parlare con Maria?*
— *Un momento, la chiamo subito, è **fuori**, in giardino.*

"**Fuori**" si usa anche in alcuni modi di dire ed espressioni particolari:

— ***Fuori** di qui!*
— ***Fuori** da casa mia!*

— **fuori di sé:** si dice di una persona che non capisce più niente, che ha perso il controllo.
— *Il commissario Bonardi è fuori di sé.*

— **fuori di testa:** è un'espressione moderna del linguaggio giovanile che significa "un po' matto, pazzo."
— *Boris gioca d'azzardo, è proprio fuori di testa!*

— **fuori dal comune:** significa "originale, particolare, straordinario, eccezionale."
— *Una ballerina è sempre una persona un po' fuori dal comune.*

1 Usando questi modi di dire, completa le frasi seguenti.

1. Paolo è ....: guida a tutta velocità senza fare attenzione a segnali o semafori.
2. Il maggiordomo è .... dalla rabbia quando il commissario entra in casa senza permesso.
3. Il nostro collega è .... dalla gioia perché ha vinto due milioni al totocalcio.
4. Eleonora è una ballerina bravissima. Il suo talento artistico è veramente ....

2 **Collega ogni parola alla definizione corrispondente.**

1. un fuoristrada
2. un fuoribordo
3. una fuoriserie
4. un fuoriclasse

a. è un'automobile speciale, migliore del modello di serie
b. è un atleta bravissimo, superiore agli altri
c. è una grande barca a motore
d. è una macchina per percorsi particolari (in campagna, nel deserto, ecc.)

3 **Segna con una ✗ il significato esatto delle seguenti parole ed espressioni.**

1. Seccato
   a. ☐ asciugato
   b. ☐ infastidito
   c. ☐ contento

2. Farfuglia
   a. ☐ balbetta
   b. ☐ dice chiaramente
   c. ☐ urla

3. La tengo d'occhio
   a. ☐ non la infastidisco
   b. ☐ la sorveglio
   c. ☐ la disturbo

4. Ha le mani legate
   a. ☐ gli hanno messo le manette
   b. ☐ non può muovere le mani
   c. ☐ non può fare nulla

5. Stupito
   a. ☐ arrabbiato
   b. ☐ sorpreso
   c. ☐ perplesso

6. Tirare fuori dai pasticci

a. ☐ togliere da una brutta situazione
b. ☐ fare tanti dolci
c. ☐ dimenticare un problema

Produzione scritta

CELI 3

1 In questo capitolo emergono le personalità estremamente diverse dell'avvocato Guicciardini e del commissario Bonardi. Ritrova le differenze fra i due.

(Utilizza per ogni risposta da un minimo di 15 ad un massimo di 25 parole)

1. **Descrizione fisica:**

....

....

....

2. **Atteggiamento:**

....

....

....

3. **Modo di esprimersi:**

....

....

....

PRODUZIONE ORALE

CELI 3

1 **Descrivi l'immagine e organizza un breve discorso, con l'aiuto delle domande sotto riportate.**

- A te piacciono le macchine sportive? Motiva la tua risposta.
- Pensi che l'automobile sia semplicemente un mezzo di trasporto?
- Quali tipi di macchine sono più diffusi nel tuo paese?

2 **Un tuo amico italiano di circa 50 anni ha venduto da poco un appartamento di sua proprietà. È tentato di rispondere al seguente annuncio e ti chiede un consiglio.**

Vendo splendida FERRARI Testarossa del 1991, solo 35.500 chilometri, perfette condizioni, 55.000 euro.

Gli rispondi che, forse, dopo anni di lavoro e fatiche è arrivato il momento di "concedersi un lusso". In fondo ha ormai una posizione solida, una bella casa e una carriera avviata.

CAPITOLO 7

Un vicolo cieco

È Boris che cerca di scappare da un'altra uscita! Il commissario si lancia all'inseguimento, gira intorno all'edificio correndo, intravede [1] un'ombra in fuga. Accidenti! Quante volte ha ripetuto a se stesso di doversi mettere a dieta! Col fiato corto, [2] il cuore che gli scoppia, ha quasi deciso di rinunciare quando, svoltando in uno dei cento vicoli della città vecchia, scorge [3] la schiena del ballerino che, sicuro di aver seminato [4] l'inseguitore, ha ripreso un'andatura [5] normale. Il commissario gli si avvicina senza far rumore e gli mette una mano sulla spalla.

1. **intravede** : vede per un attimo, non chiaramente.
2. **fiato corto** : respiro difficoltoso, affannoso.
3. **scorge** : riesce a vedere, distingue.
4. **seminare** : (fig.) fare perdere le tracce.
5. **andatura** : modo di camminare.

Menu

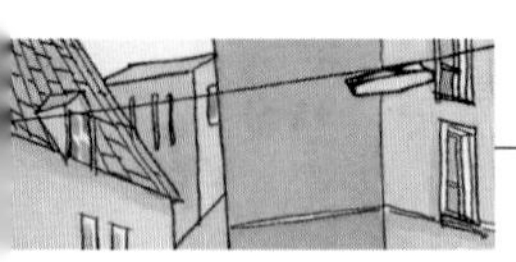

— Allora, caro Boris, si può sapere perché scappa?

Boris è rosso in viso e ha la fronte imperlata [1] di sudore: respira a fatica... cosa strana per un ballerino! Sta soffocando: [2] è sicuramente una crisi d'asma.

— Ha le pillole con sé?, chiede il commissario.

L'altro non riesce a rispondere e crolla [3] a terra. Bonardi è sconvolto: [4] sinceramente non ci capisce più nulla. Fuori di sé, chiama un'ambulanza, che per fortuna arriva subito. Più tardi il medico del pronto soccorso gli comunica la diagnosi: Boris è in coma per una crisi cardiaca scatenata [5] probabilmente dall'asma e favorita dall'eroina che il ballerino si è appena iniettato. Bonardi è sempre più disorientato: allora non si trattava solo di spaccio!

"Deve avere incominciato da poco," si dice il commissario, la dura disciplina del ballo non si concilia certo con l'eroina!

Le ore passano lentamente nel corridoio dell'ospedale: di tanto in tanto gruppetti di infermiere indaffarate [6] lo sfiorano con passo svelto parlando fra loro ad alta voce e ridendo, perfino. "Che cinismo!" [7] pensa Bonardi, che al dolore e alla morte, malgrado il suo mestiere, non si è mai abituato. Finalmente una porta si apre, ne esce un medico che lo rassicura:

— Il paziente è appena uscito dal coma, ma non è il caso di

1. **imperlata** : coperta di goccioline.
2. **sta soffocando** : non riesce a respirare.
3. **crolla** : cade di colpo, pesantemente.
4. **sconvolto** : molto turbato.
5. **scatenata** : provocata.
6. **indaffarate** : molto occupate.
7. **cinismo** : modo di comportarsi indifferente e freddo.

interrogarlo subito: è esausto.[1] Può tornare domattina.

Come un sonnambulo,[2] Bonardi si allontana: potrà finalmente dormire! Ma il suo cervello rifiuta il riposo: meccanicamente passa in rassegna[3] tutti gli elementi emersi dall'inchiesta. Dunque, ci sono tre piste da prendere in considerazione: quella di Boris, quella dell'avvocato e quella di Eleonora. Boris è scappato, quindi è colpevole di qualcosa; la Bugatti rossa, poi, era la sua, perché l'avvocato era a Parma con la propria. Ma perché Boris aveva un appuntamento con Irene? Un incontro fra amanti, forse, degenerato[4] in una lite mortale? D'altra parte l'avvocato è un tipo ambiguo e probabilmente il suo alibi è costruito: in fin dei conti qualcun altro può aver preso il suo posto al volante della Bugatti e la testimonianza di Di Benedetto può essere falsa. Guicciardini, inoltre, aveva un movente: Eleonora, la sua amata Eleonora, doveva prendere il posto di Irene. Terza ipotesi: l'assassina è la stessa Eleonora che, per gelosia, ha ucciso la donna che le aveva rubato il compagno e la gloria. La mente di Bonardi macina[5] senza sosta questi pensieri, il commissario si rigira inutilmente nel letto: che cosa ha dimenticato, quale dettaglio gli è sfuggito? Sa che la soluzione è davanti ai suoi occhi e che lui non riesce a trovarla. Si alza e decide di bere un latte caldo. Chissà, forse dopo riuscirà ad addormentarsi. Non si dice che la notte porta consiglio? Ma, all'improvviso...

1. **esausto** : stanchissimo.
2. **sonnambulo** : una persona che cammina nel sonno.
3. **passa in rassegna** : esamina uno per uno.
4. **degenerato** : che si è trasformato.
5. **macina** : (fig.) lavora, elabora.

Comprensione

CELI 3

1 **Rileggi il capitolo e segna con una ✗ la lettera corrispondente all'affermazione corretta.**

1. Il commissario ha difficoltà nel seguire Boris perché
- **a.** ☐ è troppo grasso
- **b.** ☐ le scarpe gli fanno male
- **c.** ☐ ha un dolore al ginocchio
- **d.** ☐ ha deciso di rinunciare

2. Boris si sente male perché
- **a.** ☐ ha una crisi d'asma
- **b.** ☐ fa troppo caldo
- **c.** ☐ è malato di cuore
- **d.** ☐ è affaticato dalla dura disciplina del ballo

3. Quando Boris si sente male il commissario
- **a.** ☐ lo porta all'ospedale in macchina
- **b.** ☐ chiama un'ambulanza
- **c.** ☐ chiama un taxi per accompagnarlo
- **d.** ☐ non capisce più nulla e non sa cosa fare

4. In questo caso poliziesco
- **a.** ☐ solo l'avvocato aveva un motivo per uccidere Irene
- **b.** ☐ tutti i sospetti avevano un motivo per ucciderla
- **c.** ☐ nessuno dei sospetti aveva un motivo per ucciderla
- **d.** ☐ solo Boris non ha un alibi di ferro

5. Il commissario non riesce a dormire perché
- **a.** ☐ ha fame
- **b.** ☐ pensa alla sua inchiesta
- **c.** ☐ ha sete
- **d.** ☐ gli è sfuggito qualche dettaglio

2 **Ascolta attentamente e completa.**

È Boris che cerca di .... da un'altra uscita! Il commissario si .... all'inseguimento, ... intorno all'edificio ...., intravede un' .... in fuga. Accidenti! Quante volte ha ripetuto a se stesso di .... mettere a dieta! Col fiato corto, il .... che gli scoppia, ha quasi deciso di .... quando, svoltando in uno dei .... vicoli della città ...., scorge la schiena del .... che, sicuro di aver .... l'inseguitore, ha ripreso un'andatura normale. Il commissario gli si avvicina senza far .... e gli mette una .... sulla spalla.

3 **AN o EN ?**
Ascolta attentamente e completa.

1. Scapp....do, Boris si è s....tito male.
2. Fac....do così, si mette in una situazione trem....da!
3. È sicuro che cerc....do, troverà la soluzione.
4. L'am....te di Eleonora è il colpevole.
5. Decid....do di andare dall'avvocato ha avuto un'intuizione geniale.

Grammatica

Che - quale - quanto

Quante *volte ha ripetuto a se stesso di doversi mettere a dieta!*
Che *cinismo!*
Quale *dettaglio gli è sfuggito?*

In queste frasi *che, quale* e *quanto* sono **aggettivi interrogativi o esclamativi.**
Che rimane invariato, **quale** prende solo la forma del plurale, **quanto** si accorda col nome che segue.

Che, quale e *quanto* possono anche essere **pronomi:**
Hai letto tutti i suoi libri? ***Quale*** *preferisci?* (sottinteso "libro")
Hanno arrestato tante persone. ***Quante*** *hanno parlato?* (sottinteso "persone")

1 Completa con *che*, *quale*, o *quanto*.

1. .... segreto Eleonora cerca di nascondere?
2. Non sa per .... tempo potrà rifiutare di parlare.
3. .... fatica correre col fiato corto!
4. In questa storia, ci sono troppi sospetti: il commissario non sa .... pista seguire.
5. " ....?" "Quelli nell'armadio."
6. Nessuno sa .... criminali ha già arrestato!
7. Il commissario si domanda .... l'alibi dell'avvocato sia reale.
8. .... coraggio!
9. .... gli piacerebbe dormire!

2 **Leggi il testo, completa le domande con *che*, *quale* e *quanto*, infine rispondi.**

Cosa bisogna fare durante un attacco d'asma

Gli attacchi d'asma variano molto in intensità e durata. È perciò necessario intervenire al primo insorgere dei sintomi (tosse insistente, difficoltà del respiro); solo in questo modo sarà possibile controllare la crisi.

Il trattamento al quale si ricorre genericamente in prima istanza è un beta-adrenergico spray: il paziente deve espirare, avvicinare la bomboletta alla bocca, premere l'erogatore e contemporaneamente inspirare il farmaco e poi trattenere il respiro per 10 secondi.

Dopo un minuto circa, ripetere il tutto.

Se il paziente non riscontra una regressione dei sintomi dopo aver assunto il farmaco consigliato, è necessario chiamare al più presto il medico o andare al pronto soccorso.

1. .... è l'intensità di un attacco d'asma?
   ....
2. .... dura?
   ....
3. .... sono i sintomi?
   ....
4. .... cosa si deve fare di solito all'insorgere dei sintomi?
   ....
5. Per .... secondi il paziente deve trattenere il respiro?
   ....
6. .... dura l'intervallo tra le due fasi del trattamento?
   ....
7. .... miglioramento deve riscontrare il paziente?
   ....
8. .... cosa bisogna fare se i sintomi persistono?
   ....

Competenze linguistiche

1 Rispondi ai seguenti indovinelli ricordando che le soluzioni sono parole contenute nel capitolo.

1. Lavorano in ospedale, portano un camice bianco.
   Sono le ....
2. Arriva a sirene spiegate.
   È ....
3. Spesso le ragazze la fanno per essere più magre e belle.
   È la ....
4. Sono piccole, tonde e possono salvare la vita. Le prescrive il medico e le vende il farmacista.
   Sono le ....
5. Dopo una visita accurata, il medico la può fare.
   È la ....
6. Se smette di funzionare, non si può più vivere.
   È il ....

2 Trova l'intruso.

1. polmonite - asma - paura - raffreddore - influenza
2. medico - infermiere - anestesista - cardiologo - insegnante
3. ospedale - ambulatorio - negozio - consultorio - studio
4. latte - birra - vino - liquore - aperitivo

3 Parole crociate

Orizzontali

1. Distinguere, vedere.
2. Lo è qualcuno che ami o qualcosa che costa troppo. / Non validi.
3. Arsenico. / Estremità, sommità.
4. Gruppo che ha la stessa ideologia politica. / Pronome personale soggetto.
5. Ravenna.
6. Organo fondamentale per l'essere umano, centro dei sentimenti.
7. Composizione musicale patriottica. / Preposizione articolata.
8. Congiunzione usata soprattutto nei telegrammi. / Città italiana famosa per il Palio.
9. Unità astronomica.
10. Modo di camminare.

Verticali

1. Fuggire da qualcosa o da qualcuno.
2. Abitazione. / Inizio del tunnel.
3. Oristano. / Pronome riflessivo. / Preposizione di movimento.
4. Rovigo. / Aggettivo numerale.
5. Pronome riflessivo. / Abbreviazione di Onorevole. / Extraterrestre.
6. Ente Nazionale Italiano per il Turismo. / Iniziare a rosicchiare.
7. Suono confuso prodotto da voci o da oggetti.
8. Mela che ha perso la testa. Attrezzo per tagliare, con lama dentata.
9. Articolo indeterminativo maschile.
10. Abbandonare volontariamente un diritto, un bene, una possibilità.

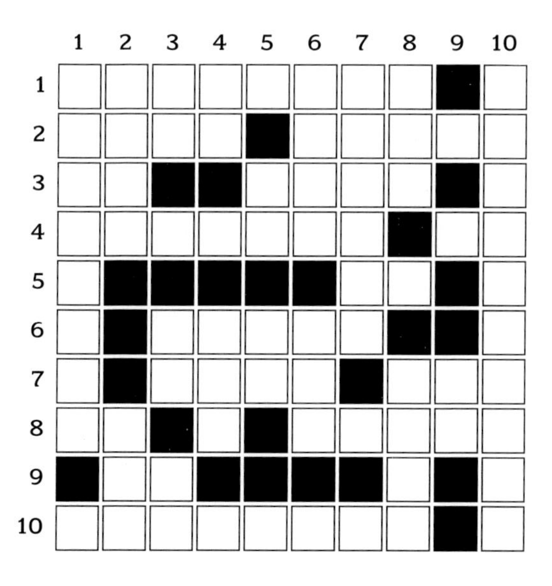

CAPITOLO 8

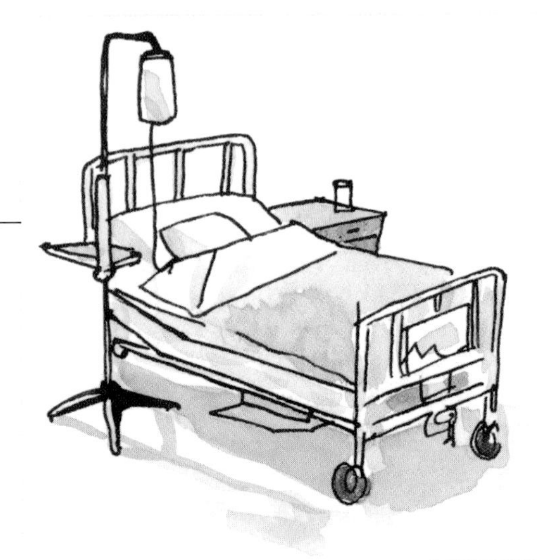

Le cose si complicano

DRIIIN...driiin...driiin

"Chi sarà?" si domanda Bonardi.

— Pronto, chi parla?

— Signor commissario...

— Sì, Di Pasquale, che c'è?

— Boris, il ballerino...

— Allora? Avanti, continui!

— È appena morto, mi hanno telefonato dall'ospedale: un'overdose.

— Come, un'overdose? Bonardi è fuori di sé dalla rabbia.

— Sì, un'overdose; gli hanno iniettato eroina pura.

— Ma non c'era Morini all'ospedale? Non sorvegliava [1] la porta

1. **sorvegliava** : faceva la guardia.

della camera come gli avevo ordinato? Che faceva?

— Morini si è... insomma, ha avuto...

— Vuoi dire che si è addormentato?

— Beh, sì, capo: erano due notti che non dormiva, con la moglie in clinica; sa che gli è nato un maschietto?

— Me ne infischio [1] del maschietto! Doveva sorvegliare la porta, sì o no?!?

— Si è assopito [2] solo un attimo, le giuro, capo, solo un attimo.

— Ma io allora lavoro con degli imbecilli, ecco, con dei completi imbecilli! Dove si trova lei ora?

— Sono al commissariato, capo.

— Vada subito all'ospedale, im-me-dia-ta-men-te! Dio mio, che incapaci! La raggiungo là.

Mezz'ora dopo Bonardi misura [3] a gran passi, nervosamente, i corridoi dell'ospedale. Ha interrogato il personale: nessuno ha visto niente di sospetto, tutto normale. Nessuno è entrato, nessuno è uscito, nessuno ha telefonato. Niente: questa faccenda sta diventando un incubo e Bonardi è sempre più

infuriato. [4] Chiede che gli portino la lista degli infermieri, dei medici, di tutti quelli che lavorano all'ospedale, fa perquisire [5] tutte le camere, ispezionare tutti i ripostigli, [6] gli armadi, i letti: si troverà pure qualcosa, un assassino non può prendere il volo senza essere visto da nessuno! Chiede anche la lista dei

1. **me ne infischio** : non me ne importa niente.
2. **assopito** : addormentato non profondamente.
3. **misura** : cammina avanti e indietro.
4. **infuriato** : arrabbiato.
5. **perquisire** : esaminare.
6. **ripostigli** : stanzini dove si tengono gli oggetti per le pulizie.

pazienti per cercare di scoprire se c'è una connessione [1] fra Boris e qualcuno di loro. Inutile. Tutte le ricerche sono vane. Sul punto di gettare la spugna, [2] si siede su un divano della sala d'attesa e con i nervi a pezzi, pieno di rabbia, sfinito, [3] maledice la sorte, l'idiozia dei colleghi, il mestiere che diventa sempre più difficile (eh, sì, anche i delinquenti [4] non sono più quelli di una volta!). E ha sempre in testa quell'idea fissa che lo tormenta: perché hanno eliminato Boris? Per chiudergli la bocca, chiaro. Questo significa che il colpevole non è lui, ma che sapeva qualcosa sull'assassinio di Irene: la testimonianza di un moribondo è quasi sempre credibile e dunque più pericolosa. Chi tira le fila [5] di questa storia? Eleonora è in prigione e non poteva fare niente, ma questa conclusione non soddisfa il commissario: qualcosa non torna, e la sua intuizione non lo ha mai ingannato... Decide di dormire per qualche minuto e di riprendere le ricerche quando sarà un po' più riposato. Allungandosi sul divano, vede all'improvviso per terra un mozzicone [6] di sigaretta, lo raccoglie e se lo porta al naso. È una di quelle sigarette di lusso con un aroma dolciastro, forse di marca inglese. Questo profumo lo ha già sentito da qualche parte, ne è sicuro: ma dove?

FINE

1. **connessione** : legame, collegamento.
2. **gettare la spugna** : rinunciare.
3. **sfinito** : stanco morto.
4. **delinquenti** : criminali.
5. **tira le fila** : è l'organizzatore.
6. **mozzicone** : quello che resta di una sigaretta fumata.

Comprensione

CELI 3

1 Rispondi alle domande.

(da un minimo di 15 ad un massimo di 25 parole)

1. Cosa succede a Boris?

   ....

   ....

2. Perché il commissario è così arrabbiato?

   ....

   ....

3. Come procede per trovare l'assassino di Boris?

   ....

   ....

4. Secondo te cosa significa "i delinquenti non sono più quelli di una volta"?

   ....

   ....

5. Perché il commissario pensa che Eleonora non abbia ucciso Boris?

   ....

   ....

6. A chi giova la morte di Boris?

   ....

   ....

7. Qual è l'indizio dato alla fine di questo capitolo?

   ....

   ....

2 Ascolta attentamente, sottolinea e correggi le parole diverse.

Chiede che gli diano la lista degli infermieri, dei dottori, di tutti quelli che lavorano in ospedale, fa perquisire tutte le camerate, esaminare tutti i ripostigli, gli armadi, i letti: si troverà pure qualche cosa, un assassino non può prendere al volo senza essere visto da qualcuno! Chiede anche la lista dei parenti per cercare di scoprire se c'è una relazione fra Boris e qualcuno di loro. Inutile. Tutte le ricerche sono vuote. Sul punto di giocare la spugna, si siede sul divano della sala d'aspetto e con i nervi a pezzi, pieno di rabbia, finito, maledice la sosta, l'idiozia dei colleghi, il mestiere che diviene sempre più difficoltoso (eh, sì, anche i delinquenti non sono più come una volta!). E ha sempre in testa quell'idea fissa che lo tortura: perché hanno eliminato Boris?

1. portino
2. ....
3. ....
4. ....
5. ....
6. ....
7. ....
8. ....
9. ....
10. ....
11. ....
12. ....
13. ....
14. ....
15. ....
16. ....
17. ....
18. ....
19. ....
20. ....

Grammatica

Gli indefiniti

Aggettivi e pronomi	Solo aggettivi	Solo pronomi
molto ciascuno alcuno poco tanto parecchio tutto altrettanto troppo nessuno altro alquanto certo	ogni qualche qualunque qualsiasi	ognuno niente qualcuno altrui nulla qualcosa chiunque uno

Osserva:

Nessuno *è entrato.* ➡ ***Non*** *è entrato* ***nessuno.***

Nulla *è cambiato.* ➡ ***Non*** *è cambiato* ***nulla.***

2 **Rileggi attentamente il capitolo, individua tutti gli indefiniti e completa la tabella.**

Pronomi	Aggettivi
1. Nessuno ha visto niente.	
2.	
3.	
4.	
5.	
6.	
7.	
8.	
9.	
10.	
11.	

Competenze linguistiche

CELI 3

1 **Completa il testo. Inserisci la parola mancante negli spazi numerati.**

No alle passeggiate se l'aria è inquinata

Fin (1) .... *nascita ho sempre portato il mio bambino in carrozzina* (2) .... *aperto almeno due volte al giorno. Da un* (3) .... *di tempo, però, è spesso raffreddato,* (4) .... *la tosse e talvolta anche la febbre; eppure* (5) .... *copro sempre bene. Sarà colpa dell'aria inquinata?*

(Angela M., Milano)

■ C'è una stretta correlazione (6) .... inquinamento atmosferico e infezioni recidivanti delle vie respiratorie nel bambino.
Numerosi studi epidemiologici hanno dimostrato (7) .... i bambini residenti nelle grandi città più inquinate si ammalano (di faringiti, tonsilliti, tracheiti, bronchiti, ecc.) con (8) .... frequenza anche di quattro o (9) .... volte superiore agli altri, e che quelli che vivono in zone industriali si ammalano (10) .... spesso di quelli che abitano (11) .... zone residenziali verdi.
Come comportarsi? Sarà consigliabile scegliere per le passeggiate percorsi (12) .... zone poco ...., preferire gli orari (13) .... cui il traffico è minore, evitare le giornate nebbiose o poco ventilate. In giorni con queste caratteristiche è meglio rimanere in casa, limitandosi (14) .... arieggiare frequentemente le stanze (in assenza (15) .... bambino, ovviamente). L'ideale sarebbe avere un terrazzo a un piano alto, sul (16) .... andare con il piccolo, coperto come se uscisse per una passeggiata.

dott. Eugenio Satolli

2 Trova nel capitolo tutte le parole che appartengono al campo lessicale dell'ospedale e della salute.

1. ospedale
2. ....
3. ....
4. ....
5. ....
6. ....
7. ....
8. ....
9. ....
10. ....

Produzione orale

CELI 3

1 Un tuo amico amante della costa italiana vorrebbe comprare un appartamento in riviera.

Sestri Levante
Vendiamo sottotetto mq. 70 e terrazzo con ampia vista mare da ristrutturare. Euro 250.000,00

Gli consigli di riflettere prima di prendere questa decisione, considerando il prezzo troppo elevato, le spese di ristrutturazione, i costi di mantenimento e i problemi di parcheggio.

CAPITOLO 9

Eleonora ha detto la verità?

"Ma certo – si dice Bonardi – certo, ora ho capito..."

Si alza di scatto [1] e chiama il suo collaboratore:

– Presto, Di Pasquale, mi segua!

Di Pasquale è un po' intontito [2] e, come un automa, regola il suo passo su quello del commissario. Arrivano alla macchina:

– Ma insomma, capo, che succede? Lei parte come un razzo [3] e non mi dice niente.

1. **di scatto** : di colpo, all'improvviso.
2. **intontito** : non completamente sveglio.
3. **razzo** : veicolo che viene lanciato nello spazio; (fig.) molto velocemente, come un fulmine.

— Le spiegherò per strada, si metta al volante!

— Va bene, ma per andare dove?

— Al commissariato: dove, se no?

Di Pasquale conosce il suo capo: quando non vuol parlare non c'è niente da fare. Così si limita ad obbedire: i passanti si voltano all'urlo della sirena. Arrivati al commissariato Bonardi scende dalla macchina e si precipita verso le celle di sicurezza.

— Allora, cara signorina, sempre così testarda?

Il tono del commissario è sprezzante;[1] Eleonora alza la testa di scatto all'improvvisa apparizione del commissario.

— Che cosa c'è? risponde seccamente.

— Questo me lo deve spiegare lei.

— Spiegare che cosa, commissario?

— Niente: ricominciamo da capo. Mi piacerebbe sentire ancora la sua versione dei fatti.

— Che significa? Lei mi ha già interrogata, il mio avvocato non c'è e io non voglio parlare.

— Me ne infischio del suo avvocato: ricominci tutto da capo, le ho detto!

Il tono di Bonardi diventa sempre più minaccioso.[2] Eleonora, presa evidentemente alla sprovvista, resta dapprima interdetta,[3] poi obbedisce:

— Sì, ho visto Irene la sera del delitto, ma non l'ho assassinata io, glielo giuro...

— Mi racconti piuttosto dell'auto che ha visto.

1. **sprezzante** : che mostra disprezzo, mancanza di stima.
2. **minaccioso** : che fa paura.
3. **interdetta** : disorientata.

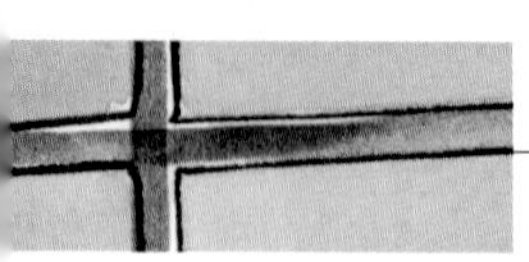

— C'era una Bugatti rossa posteggiata fuori, quella di Boris, probabilmente...

Eleonora si blocca di colpo: ha parlato troppo in fretta e ora si morde le labbra come per arrestare il flusso delle parole.

— Guarda guarda, questa è una novità: e che cosa glielo fa dire?

— Beh, c'era...

Eleonora esita: sa bene di aver fatto un grosso errore pronunciando il nome di Boris.

— Non glielo avevo detto, ma c'era un bigliettino sul tavolo di Irene e io l'ho letto.

— Infatti non me lo aveva detto: è questa la ragione del suo litigio con Irene?

— Sì, lo ammetto: le ho chiesto di non uscire più con lui. In fondo, non lo amava neanche. E Boris amava ancora me: frequentava Irene solo perché voleva restare nel corpo di ballo.

— Perché non me ne ha parlato prima?

— Perché non volevo accusarlo...

— Dunque, lei continua a dichiararsi innocente della morte di Irene?

— Le giuro che non sono stata io!

— In ogni caso non è stato nemmeno Boris: altrimenti non lo avrebbero eliminato.

— Che vuol dire 'eliminato'? Significa che...

— Proprio così: è morto. E io forse conosco il nome dell'assassino.

— Mio Dio, assassinato? Ma chi poteva volergli male?

— Sono convinto che aveva indovinato tutto, che sapeva chi

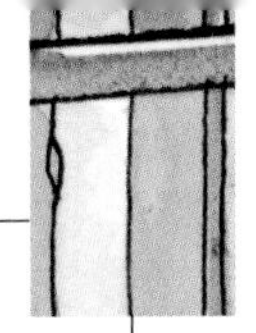

era l'assassino di Irene perché aveva scoperto il cadavere e aveva visto qualcosa. Così era diventato pericoloso.

Eleonora è sconvolta da queste parole: diventa livida [1] in volto e incomincia a tremare.

— No, non ci credo: lei lo sta facendo apposta... non è vero... l'avvocato mi aveva assicurato che...

1. **livida** : pallida, qui per la paura.

Comprensione

CELI 3

1 Rileggi il capitolo e segna con una ✗ la lettera corrispondente all'affermazione corretta.

1. Il commissario ha fretta perché
   - a. ☐ deve partire per le vacanze
   - b. ☐ vuole interrogare Eleonora
   - c. ☐ fuori fa freddo
   - d. ☐ non vuole parlare

2. Bonardi chiede a Eleonora di ripetere la sua versione dei fatti perché
   - a. ☐ si è scordato tutto
   - b. ☐ vuole metterla in difficoltà
   - c. ☐ ha perso i verbali
   - d. ☐ ha capito chi è l'assassino e vuole una conferma

3. Eleonora ubbidisce perché
   - a. ☐ è impressionata dal tono sprezzante del commissario
   - b. ☐ il suo avvocato glielo ha consigliato
   - c. ☐ è stanca e vuole dormire
   - d. ☐ è colta di sorpresa e reagisce istintivamente

4. Eleonora si morde le labbra perché
   - a. ☐ ha detto troppe cose
   - b. ☐ ha detto una cosa sbagliata
   - c. ☐ ha male ai denti
   - d. ☐ si è appena messa il rossetto

5. Eleonora confessa di avere
   - a. ☐ litigato con Irene
   - b. ☐ parlato con Irene
   - c. ☐ ucciso Irene
   - d. ☐ letto un biglietto di Irene

6. Quando sa della morte di Boris Eleonora è
   a. ☐ felice
   b. ☐ indifferente
   c. ☐ sconvolta
   d. ☐ stupita

7. Eleonora litiga con Irene perché
   a. ☐ Irene è la prima ballerina
   b. ☐ Irene le chiede di non uscire più con Boris
   c. ☐ Boris vuole restare nel corpo di ballo
   d. ☐ Boris sta con Irene per convenienza

18 **2 Ascolta attentamente e correggi quando necessario.**

— Sì, ho visto Irene la mattina del delitto, ma non l'ho uccisa io, glielo assicuro...

— Mi racconti piuttosto della macchina che ha visto.

— C'era una Bugatti rosa parcheggiata fuori, quella di Boris, probabilmente...

Eleonora si ferma di colpo: ha parlato molto in fretta e ora si morde le mani come per arrestare il flusso delle parole.

— Guarda un po', questa è una novità: e che cosa glielo fa capire?

— Beh, c'era...

Eleonora esita: sa bene di aver fatto un grosso sbaglio pronunciando il nome di Boris.

1.	6. ....
2.	7. ....
3.	8. ....
4.	9. ....
5.	10. ....

Grammatica

Il condizionale

*Mi **piacerebbe** sentire la sua versione dei fatti.*

Il verbo 'piacere' è al condizionale. Si usa questo modo per esprimere un desiderio, per chiedere qualcosa in modo gentile, per dare consigli...

Le desinenze del **condizionale presente** sono:

1ª e 2ª CONIUGAZIONE	3ª CONIUGAZIONE
-erei (parlerei - prenderei)	**-irei** (sentirei)
-eresti	**-iresti**
-erebbe	**-irebbe**
-eremmo	**-iremmo**
-ereste	**-ireste**
-erebbero	**-irebbero**

Il **condizionale passato** è formato dal condizionale presente di uno dei due ausiliari e dal participio passato del verbo.
*Non lo **avrebbero eliminato**.*

Esprime un'azione rivolta al passato e che non si è realizzata.

Competenze linguistiche

1 Completa le frasi con i verbi seguenti (a volte, il verbo va coniugato).

chiedere spiegare urlare
raccontare dire rispondere

1. Quando Bonardi si è messo a ...., Eleonora ha avuto paura e ha deciso di .... alle sue domande.
2. Nel primo interrogatorio, non .... tutto al commissario.
3. Ha cercato di .... le sue ragioni, ma il commissario non le ha creduto.
4. .... delle bugie e il commissario se n'è accorto.
5. Voleva .... al commissario di poter incontrare il suo avvocato.

2 Completa le frasi coniugando i verbi tra parentesi.

1. Di Pasquale .... (*dormire*) ancora volentieri.
2. Di Pasquale .... (*volere*) sapere dal commissario cosa c'è.
3. Il commissario glielo .... (*spiegare*) se avesse tempo.
4. Di Pasquale .... (*potere*) insistere, ma non l'ha fatto.
5. Eleonora risponde seccamente: .... (*preferire*) essere lasciata in pace.
6. Eleonora non .... (*parlare*), ma il commissario l'ha presa alla sprovvista.
7. Quella sera, Eleonora .... (*trovare*) un biglietto a casa di Irene e lo .... (*leggere*).

3 **Rispondi ai seguenti indovinelli ricordando che le soluzioni sono parole contenute nel capitolo.**

1. Fa le cose meccanicamente; è un sinonimo di robot.
   È l' ....
2. Arrivano sulla luna e sono molto veloci.
   Sono i ....
3. Quando non è il sinonimo di "testa", gli piace dare ordini.
   È il ....

4 **Tutte queste espressioni idiomatiche si trovano nel capitolo. Le hai capite tutte? Segna con una ✗ la definizione giusta.**

1. Lo fa apposta
   - ☐ lo fa volontariamente
   - ☐ lo fa da lontano
   - ☐ lo fa senza volere
2. Me ne infischio
   - ☐ lo chiamo con un fischio
   - ☐ non so fischiare
   - ☐ non me ne importa niente
3. È preso alla sprovvista
   - ☐ è andato al mercato
   - ☐ è colto di sorpresa
   - ☐ è preso sul fatto
4. Gli vuole bene
   - ☐ lo ama
   - ☐ augura il suo bene
   - ☐ fa del bene
5. Gli vuole male
   - ☐ non lo ama
   - ☐ fa sempre del male
   - ☐ gli augura di ammalarsi

Produzione scritta

CELI 3

1 Siamo quasi alla fine della storia. Secondo te chi è l'assassino? Formula delle ipotesi.

(da un minimo di 80 ad un massimo di 100 parole)

a. Eleonora è innocente, sa chi è l'assassino, ma non lo vuole dire.

....

....

....

....

b. Eleonora è colpevole.

....

....

....

....

c. Altro.

....

....

....

....

CAPITOLO **10**

La verità viene a galla[1]

Le aveva assicurato che cosa, signorina? Continui, continui, la storia diventa interessante.

— L'avvocato Guicciardini mi aveva detto: "Non si preoccupi, andrà tutto a posto, la tirerò fuori dai guai, lei diventerà una stella di prima grandezza e riconquisterà il suo Boris."

— E lei ci ha creduto?

— Naturalmente, perché no?

— Prima di tutto perché Guicciardini era innamorato pazzo di lei.

1. **viene a galla** : emerge, viene scoperta.

— È vero: ma ha sempre rispettato la mia scelta, ha aiutato Boris quando era in prigione e non ha voluto niente in cambio.

— Lo crede veramente? Secondo lei l'avvocato ha aiutato Boris per amor suo?

— Esistono persone di animo nobile, che sanno dare, e l'avvocato Guicciardini è una di queste.

— Qualche volta mi domando se lei sia veramente ingenua [1] o se faccia l'ingenua per intenerirmi. [2] Ma indovini che cosa abbiamo trovato all'ospedale... Non ne ha idea? Via, non voglio farla rimanere con il fiato sospeso: [3] in un corridoio, accanto alla camera dove si trovava Boris, ho raccolto da terra un mozzicone che me la dice lunga: [4] il mozzicone di una sigaretta di lusso, inglese, dall'aroma dolciastro. Le dice qualcosa?

— Non è possibile, non può essere stato lui!

— Lui chi? Lo dica!

— Non può averlo ucciso, non può aver assassinato l'uomo che amo!

Eleonora è pallida come una morta, sta per svenire. Il suo viso è contratto dal dolore. Esita a continuare, sconvolta dalla rivelazione: tutto il suo universo sta crollando perché l'uomo in cui aveva fiducia si è rivelato l'essere più odioso del mondo. I suoi occhi si riempiono di lacrime, le sembra di soffocare. Adesso riprende a parlare sottovoce:

— Ora che Boris è morto niente ha più importanza. La danza, gli applausi del pubblico mi interessavano solo quando Boris

1. **ingenua** : che crede a tutto, naïf.
2. **intenerirmi** : rendermi tenero, avere la mia compassione.
3. **con il fiato sospeso** : nell'incertezza, nel dubbio.
4. **me la dice lunga** : mi fa capire molte cose.

poteva condividere la mia gioia. Ora è tutto finito: perché continuare a mentire? Sono stata io, proprio io ad uccidere Irene, ma è stato un incidente: litigavamo a causa di Boris, siamo venute alle mani, Irene è caduta, ha battuto la testa sul bordo del tavolo di cristallo ed è morta. Terrorizzata, [1] sono fuggita dall'appartamento lasciando la porta aperta e ho chiamato l'avvocato Guicciardini: gli ho detto la verità e lui mi ha consigliato di non ammettere niente se tenevo alla mia carriera. 'Si sistemerà tutto', mi ha detto. Secondo lui non dovevo preoccuparmi, perché aveva a portata di mano un 'colpevole' ideale. Come potevo sapere che stava pensando a Boris? E io,

1. **terrorizzata** : molto spaventata.

stupida, che ho fatto il suo gioco parlando della Bugatti rossa... ma è davvero una macchina così rara?

— In effetti il suo amico avvocato aveva fatto bene i suoi calcoli. In Lombardia ci sono solo due Bugatti rosse: una è la sua, l'altra era di Boris.

— Ora capisco tutto... anche perché Guicciardini ha tanto insistito sul tipo di auto: dovevo assolutamente dire alla polizia che si trattava di una Bugatti rossa. Dato che lui aveva certamente un alibi, l'unico sospetto poteva essere Boris. È tutta colpa mia: Boris mi ha vista uscire dalla casa di Irene e quando, poco dopo, nessuno gli ha aperto la porta, deve esser salito ed entrato nell'appartamento; scoprendo il cadavere ha capito tutto e, per paura di essere accusato del delitto, è stato attento a non lasciare impronte e poi ha fatto una telefonata anonima alla polizia. Senza la mia indicazione non sareste mai arrivati a lui! Perché Guicciardini lo ha ucciso?

— Secondo me perché il suo più grande desiderio era di averla tutta per sé. Se penso che mi ha perseguitato giorno e notte con la sua fuga di Bach, mi convinco che è certamente uno psicopatico. [1] E uno psicopatico tormentato dalla gelosia è capace di questo ed altro. E poi Guicciardini, all'inizio, non voleva uccidere Boris, ma solo farlo condannare per omicidio, salvando lei ed eliminando il rivale in un colpo solo. Ma non ha fatto i conti con la paura del ballerino, che lo ha indotto [2] alla fuga nella speranza di nascondere alla polizia e al pubblico la sua tossicodipendenza, [3] né con lo scherzo del

1. **psicopatico** : pazzo, malato di mente.
2. **indotto** : spinto.
3. **tossicodipendenza** : stato di dipendenza da una droga.

destino che ha portato Boris in una camera d'ospedale invece che in una cella di prigione. Sicuramente Boris l'amava troppo per denunciarla, ma Guicciardini non poteva esserne certo e alle parole di un moribondo si presta più fede che a quelle di un carcerato: così l'avvocato ha deciso di eliminarlo.

Eleonora è disperata:

— Commissario, le assicuro che è stato un incidente..., dice con una vocina sottile sottile.

Ora Bonardi prova, in fondo al suo cuore di poliziotto, un po' di compassione per la povera ragazza, colpevole solo di avere amato troppo.

— Senta, io non sono un giudice: spiegherà tutta la sua storia in tribunale e sarà la giuria a decidere. Se si tratta davvero di un incidente non si deve disperare.

— Di Pasquale, si muova: andiamo a fare una visitina al nostro caro avvocato!

Comprensione

CELI 3

1 Rispondi alle domande.

(da un minimo di 15 ad un massimo di 25 parole)

1. Quando e perché l'avvocato Guicciardini ha aiutato Boris?

   ....

   ....

2. Perché Boris era un colpevole 'ideale'?

   ....

   ....

3. Qual è la reazione di Eleonora quando apprende chi ha ucciso Boris?

   ....

   ....

4. Perché l'avvocato ha ucciso Boris?

   ....

   ....

5. Perché Eleonora decide di confessare tutto?

   ....

   ....

2 Riordina le frasi seguendo l'ordine cronologico del testo.

- [ ] Dopo il tragico incidente, Eleonora è fuggita dall'appartamento lasciando la porta aperta.
- [ ] Irene è morta battendo la testa sul tavolo di cristallo.
- [ ] Il commissario rivela ad Eleonora che l'avvocato ha ucciso Boris.
- [ ] Eleonora ammette di aver ucciso Irene.

- [ ] Quando Boris è entrato nell'appartamento, Irene era già morta.
- [ ] Eleonora decide di confessare tutto.

3 Ascolta attentamente e correggi quando necessario.

Adesso prende a parlare sottovoce:
— Ora che Boris è morto più niente è importante. La danza, l'applauso del pubblico mi interessavano soltanto quando Boris poteva dividere la mia gioia. Ora tutto è finito: perché mentire? Sono stata io in persona ad uccidere Irene, ma è stato solo un incidente: abbiamo litigato per via di Boris, siamo venute alle mani, Irene è caduta, ha battuto il cranio sul bordo del tavolo di cristallo, così è morta. Terrorizzata, sono andata via dall'appartamento, ho lasciato la porta aperta e ho telefonato all'avvocato Guicciardini: gli ho detto tutto e lui mi ha detto di non confessare niente se tenevo alla mia carriera. 'Si sistemerà tutto', mi ha detto.

1.	....	10.	....
2.	....	11.	....
3.	....	12.	....
4.	....	13.	....
5.	....	14.	....
6.	....	15.	....
7.	....	16.	....
8.	....	17.	....
9.	....	18.	....

Grammatica

Comparativi e superlativi

COMPARATIVO	
uguaglianza	**maggioranza/minoranza**
così ... come **tanto ... quanto** *Eleonora è (**tanto**) colpevole **quanto** l'avvocato.* (**Così** e **tanto** sono spesso sottintesi)	**più ... di** **meno ... di** *Eleonora è **più** innamorata **di** Irene.* **più ... che** **meno ... che** *Eleonora è **più** ingenua **che** cattiva.* (2 qualità) *Ci sono **più** sospetti **che** indizi.* (2 nomi) *È **più** facile parlare **che** fare.* (2 azioni)

SUPERLATIVO	
relativo	**assoluto**
il/la più ... di **il/la meno ... di** *È **il più** antipatico **di** tutti.* Osserva bene: *È **il** personaggio **più** antipatico di tutti.*	• Si ripete due volte l'aggettivo: *Una vocina **sottile sottile.*** • Si aggiunge *molto* o *assai*: *Eleonora è **molto** preoccupata.* • Si aggiunge *-issimo* all'aggettivo: *È pallid**issima.***

Produzione scritta

1 Collega le frasi utilizzando le congiunzioni, le preposizioni, i pronomi e gli avverbi necessari.

Es. — L'avvocato Guicciardini ha parlato con Eleonora
— pare che l'avvocato le abbia detto
— "Non si preoccupi!"
Pare che l'avvocato Guicciardini abbia detto a Eleonora di non preoccuparsi.

— La voce di Eleonora non è più la stessa di quel tempo
— il tempo è quando lei era una ballerina
— la ballerina voleva gli applausi del pubblico

....

....

....

— Eleonora decide di dire la verità
— la verità è triste
— Eleonora aveva tanta paura della verità

....

....

....

— L'avvocato le ha consigliato una cosa
— la cosa è di non dire niente
— la ragione è di non rovinare la sua carriera

....

....

....

— Eleonora non sapeva cosa fare
— Eleonora ha chiesto un consiglio a Guicciardini
— Guicciardini era il migliore amico di Eleonora

....

....

....

Competenze linguistiche

1 Trova le parole in cui c'è un errore di stampa e riscrivile correttamente.

1. Era innamorato razzo di lei.
   Era innamorato **pazzo** di lei.
2. Ira che Boris è morto niente ha più importanza.
   ....
3. Solo stata io.
   ....
4. Non ha valuto niente.
   ....
5. Sono fuggita dall'appartamento lasciando la posta aperta.
   ....
6. Non può avere assassinato l'uovo che amo.
   ....
7. È davvero una macchina così rasa?
   ....
8. Non ha fatto i colti con la paura.
   ....

2 Parole crociate

Orizzontali

1. Omicidio.
2. Prefisso che indica il sangue. / Negazione.
3. È venuta a galla nell'ultimo capitolo della storia. / Italiano abbreviato.
4. È così che si chiama la ballerina uccisa.
5. Lo si usa per sostituire un pneumatico. / Livorno.
6. Macchina.
7. Bella pensata, battuta intelligente. / A Roma corrisponde all'articolo determinativo maschile.
8. Vocali di mora. Aerotrasporti Italiani.
9. Nota musicale. / Matera.
10. Pasto della sera. / Cremona.

Verticali

1. È la professione di Guicciardini.
2. Che riguarda la campagna.
3. Portato in tavola. / Metà dell'anno.
4. Vuoi bene. / Tana, nido.
5. La sposa induista che si sacrifica sul rogo del marito defunto. / Significa *però, tuttavia.*
6. Rimanere. / Prefisso per orecchio.
7. Ionio. / Un'isola dove fu esiliato Napoleone Bonaparte.
8. Preposizione di luogo. / Accademia Militare.
9. Capacità d'intendere e volere.
10. Prefisso per uovo. / Non oggi né domani.

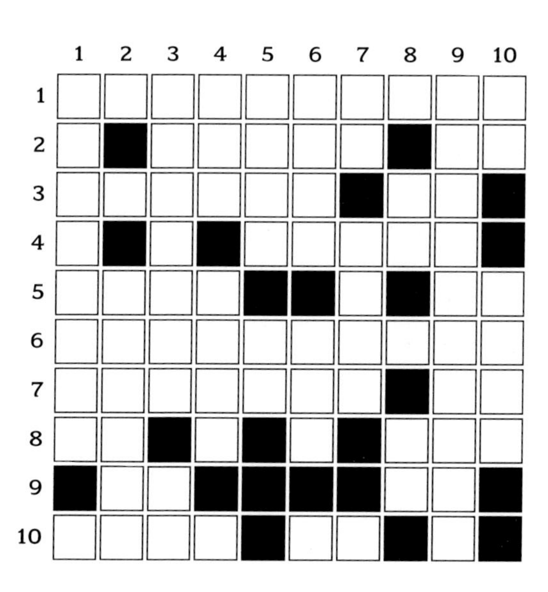

PROGETTO INTERNET

Bugatti: automobili da sogno

Fai una ricerca in Internet su Ettore Bugatti e rispondi alle seguenti domande.

- Perché Ettore Bugatti abbandona la carriera di scultore?
- Perché si ritira dalle competizioni?
- Quali sono le conseguenze della creazione del primo modello di vettura a quattro ruote?
- Cosa fa l'azienda Bugatti durante gli anni della Prima guerra mondiale?
- In cosa la casa automobilistica era all'avanguardia?
- Perché, dopo tanto successo, il marchio Bugatti viene venduto a metà del suo valore?

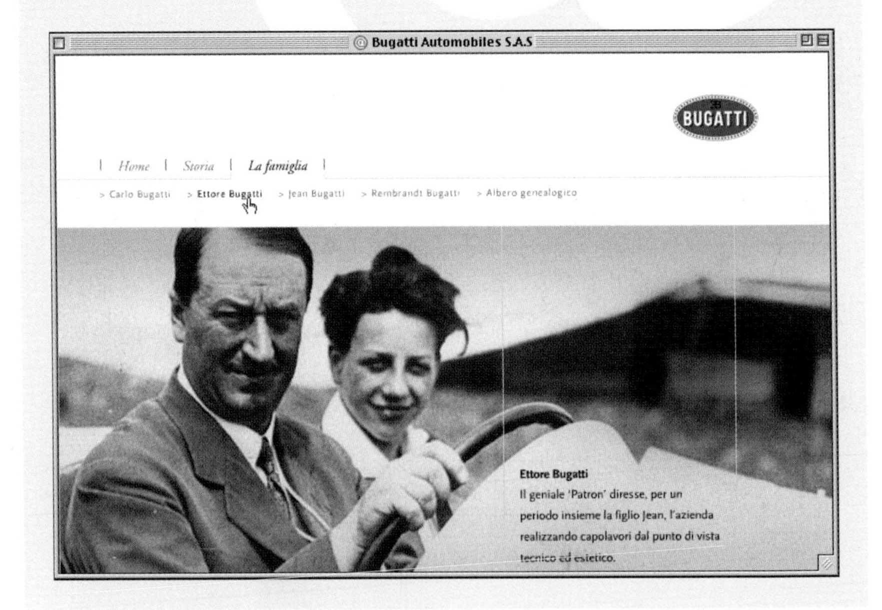

Capitolo 2

	1	2	3	4	5	6	7	8	9	10
1	O	R	A	■	■	■	N	■	■	C
2	■	O	■	■	S	T	E	L	L	A
3	■	S	S	■	C	■	R	■	■	P
4	■	S	I	P	A	R	I	O	■	E
5	S	E	■	■	L	■	■	R	■	L
6	T	■	■	■	A	N	N	O	■	L
7	O	■	■	F	■	■	O	■	S	I
8	L	■	Q	U	I	N	T	E	■	■
9	A	■	■	G	P	■	T	■	I	■
10	■	E	V	A	■	R	E	A	L	E

Capitolo 7

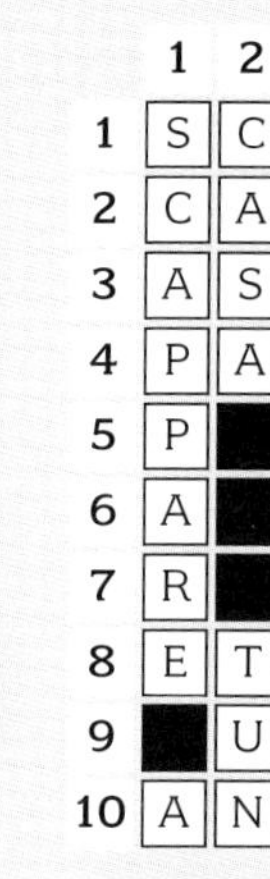

	1	2	3	4	5	6	7	8	9	10
1	S	C	O	R	G	E	R	E	■	R
2	C	A	R	O	■	N	U	L	L	I
3	A	S	■	■	C	I	M	A	■	N
4	P	A	R	T	I	T	O	■	T	U
5	P	■	■	■	■	■	R	A	■	N
6	A	■	C	U	O	R	E	■	■	C
7	R	■	I	N	N	O	■	S	U	I
8	E	T	■	O	■	S	I	E	N	A
9	■	U	A	■	E	■	■	G	■	R
10	A	N	D	A	T	U	R	A	■	E

Capitolo 5

I	C	A	M	E	R	A	C	T
T	E	T	T	O	P	C	U	E
P	S	L	S	B	O	A	C	R
A	T	Q	C	A	R	N	I	R
R	U	U	A	G	T	T	N	A
E	D	I	L	N	O	I	A	Z
T	I	R	E	O	N	N	I	Z
E	O	N	A	L	E	A	E	A
C	O	R	R	I	D	O	I	O

IL QUIRINALE

Capitolo 10

	1	2	3	4	5	6	7	8	9	10
1	A	S	S	A	S	S	I	N	I	O
2	V	■	E	M	A	T	O	■	N	O
3	V	E	R	I	T	A	■	I	T	■
4	O	■	V	■	I	R	E	N	E	■
5	C	R	I	C	■	■	L	■	L	I
6	A	U	T	O	M	O	B	I	L	E
7	T	R	O	V	A	T	A	■	E	R
8	O	A	■	O	■	O	■	A	T	I
9	■	L	A	■	■	■	■	M	T	■
10	C	E	N	A	■	C	R	■	O	■